文明の源流を探るII

古代エーゲ海・ギリシア文明

中川良隆

東京図書出版

はじめに

紀元前（ＢＣ）４８０・４７９年、アケメネス朝ペルシアの第２次ギリシア侵攻は、人口４９００万人余りの超大国ペルシア国王直卒の陸海軍が、その25分の1に満たないギリシアに攻め込んだものである。ヘロドトス著『歴史』によれば、２００人乗り戦艦・３段櫂船１２０７隻、総勢５２６万人の大軍勢であり、膨大な戦力に塩野七生氏は『ギリシア人の物語』で「総動員数は20万人強」と記し、反論している。

20万人強とはギリシア連合軍の出兵能力程度の人数。ＢＣ４９０年の1次侵攻では、圧倒的陸兵数にもかかわらずマラソンの起源である「マラトンの戦い」でアテネ陸軍に惨敗している。1年後のＢＣ４８９年、最強陸軍のスパルタの廃位された王がペルシアに亡命し、相談役として2次侵攻に随行している。ペルシア軍が20万人程度の戦力で勝てると、判断するわけがないのである。さらにペルシアは事前に侵攻用の「王の道」の延伸、延長1・2㎞の2連の舟橋を嵐で破壊されても再建、延長2㎞の地峡横断運河まで建設をしている。したがって動員能力及び兵站・補給能力から、アテネまで攻め込むことは、技術的には可能であった。しかし実際の動員数は別の問題である。

もしギリシアが敗れれば、前哨戦であったエーゲ海を隔てたアテネの対岸・イオニアの反乱（BC499年~BC493年）における、人口約6万人の繁栄都市ミレトスの二の舞になる。すなわち『歴史』によれば、「主要な聖域は焼き打ちに遭い、男は全て殺され、女子供は奴隷としてスーサ（2000km先のペルシアの首都）に送られ、ミレトスからミレトス人は消えた」と記している。負ければギリシアはミレトスと同じ運命となるのだ。そして史上初の民主主義がオリエントの君主専制主義に取って代わられたであろう。さらにオリンポスの神々を尊崇して花開いた、神殿等の建築、オリンピック等の祭典、それに捧げられた歌舞演劇等、後の西欧社会に大きな影響を与えたギリシアの文明・文化が、オリエント的なものになったのかもしれないのである。

この危機を救ったのがアテネの将軍テミストクレース。アテネに200隻の3段櫂船を造らせ、味方にゴマをすったと思うと恫喝し、海戦前日、敵ペルシア王に虚偽の投降を匂わせる使者を送り、混乱させる戦略家であった。彼は約半分の戦艦数にもかかわらず、海戦場所のサラミス海峡を熟知し、当日の午前10時頃、風波の向きが変わった海峡の屈曲地点に、ペルシア艦隊を誘い込み、圧倒的勝利を得た、数学を駆使した戦術の天才でもあった。まさにこれは、トヨタ生産方式の「ジャスト・イン・タイム」方式とも言えるものである。

本書では、上記の状況を踏まえて、以下の項目を主に取り上げる。

①なぜ大国ペルシアが完敗したのか？　特に天下分け目の戦いともいえる「サラミス海戦」

に現地を知り尽くした「ジャスト・イン・タイム」方式の採用とは？

②完勝したアテネが海洋帝国を謳歌したのは僅か75年で、スパルタ海軍に敗れ無条件降伏・武装解除となったのは何故か？

③アテネは再度の覇権を握ることはできなかったが、今に続くギリシア文明を何故、花開かせることができたのか？　ソクラテス・プラトン・アリストテレス等の哲学（知を愛する）の影響は？　そしてBC387年プラトン創設の学園アカデメイアの門に「幾何学を知らぬ者、くぐるべからず」との額があった。その理由は？

④ギリシア人はオリンポスの神々が大好きで、オリンピック等の祭典を催している。祭典は運動競技と歌舞演劇のコンテストで構成されていた。オリンポスの神々がいなかったり、祭典が催されなかったりしたら、今に続くオペラやバレエが存在しなかったとは、どのようなことなのか？

⑤哲学における数学・幾何学の考え方が、「ギリシアの美」を創ったとは、どのようなことなのか？　BC6世紀の数学者ピタゴラスの説に「あらゆる事象には数が内在していること、そして宇宙のすべては人間の主観ではなく数の法則に従うのであり、数字と計算によって解明できる」がある。これがギリシア芸術の根源になっていて、ルネサンスの巨匠レオナルド・ダ・ヴィンチが人体図を描き、昭和初頭の丸の内の建築群にまで、ドーリス式・コリント式等のギリシア建築様式が採用された理由は何か？　そして「ギリシアの

美」とは何か？

そしてこの考え方が、巻末の「おわりに」に記す、「現在注目を浴びているChatGPTの構築」に繋がっているのである。

注：紀元前はＢＣに。

●都市国家はアテネ、住民はアテナイ人、女神はアテナイに統一する。ギリシアのテーベはテバイ、エジプトのテーベはテーベに、ホメーロスはホメロスに統一する。

●上記、疑問に対する答え等重要事項を**赤太字**で明記した。

文明の源流を探るII
古代エーゲ海・ギリシア文明

◇

目次

第7編

第8編 古代ギリシアの浴場文化。古代ローマとの比較を含めて

第1編　オリンポスの神々がエーゲ海・ギリシア文明を創った

古代ギリシア人が熱狂した、トロイ戦争の物語とオリンポスの神々

古代ギリシア人は、オリンポスの神々が大好きであった。その発端は、神々の活躍が描かれたホメロス作『イリアス』である。植民市を含めた都市国家は、ゼウスやアテナイ等の神々を崇め、本書カバーに示すパルテノン神殿等を造ったり、オリンピック等の祭典を催したりした。さらに神々を崇め癒やすためにギリシア悲劇を演じたり、そのための劇場を造ったりした。また英雄の死を悼み戦車競走場を造り競走した。オリンポスの神々がいなかったり、また、もしもペルシア戦争に敗れペルシアの神々を敬うことになったりしたら、ギリシアを発祥とする今に伝わる文明・文化の様子は、だいぶ変わったものになったであろう。

ここではギリシア神話をもとに以下の事柄について紹介する。

- トロイ戦争・オリンポスの神々、そして古代ギリシア人
- ギリシア神話の国造り伝説

●オリンポスの神々
●トロイ戦争と『イリアス』

1 トロイ戦争・オリンポスの神々、そして古代ギリシア人

トロイ戦争の発端は、図表1－1に示すルーベンス作『パリスの審判』に描かれた、トロイの王プリアモスの息子パリスが「神々の女王ヘラ」・「知恵の女神アテナイ」・「愛と美の女神アプロディーテー」の天界美女コンテストの判定者になったことにある。3女神はパリスに色々と賄賂を贈り、取りなしを頼んだ。その結果、アプロディーテーが選ばれ、パリスは褒美として当代随一の美女・スパルタ王メネラーオスの妻ヘレネーを獲得した。これが10年にわたるトロイとミケーネ（ギリシア）の戦いの原因となったのだ。トロイにアプロディーテーが、ミケーネにヘラ・アテナイが応援し、オリンポスの神々が二手に分かれ、神々・半神・人間が戦った、血沸き肉躍る「英雄譚」、それが『イリアス』である。人妻のヘレネーを賞品とする神々の考え方は、現代のモラルからかけ離れている。後述するように、オリンポスの主神ゼウスは浮気もので、美女をかどわかし、子供を生ませている。それがこの物語の面白さでもあるのだ。

古代ギリシア人が、オリンポスの神々が大好きな事例を示すと、アテネにはパルテノン神殿

(主神アテナイ)・ゼウス神殿等神々を祭ったり、ディオニュソス劇場を建設し、悲劇を演じたりした。それが年を経てオペラやバレエに繋がったのだ。またトロイ戦争の英雄で、プティーア王ペーレウスと海の女神テティスの子で、半神のアキレイウスが友人の死を悼んだ「パトロクロスの葬送競技」に由来する戦車競走が、BC680年にオリンピアで開催された。これが現在の競馬に進化した。多くのギリシア由来の催し物や建造物に、オリンポスの神々が関係しているのである。神殿建設・演劇・戦車競技は古代ローマに伝わり、より一層盛んになったのである。

図表1-1　ルーベンス作『パリスの審判』

2 ギリシア神話の国造り伝説

ギリシア神話では、天地は神によって創られるものというより、むしろ神が天地そのものであり、神々の誕生の系譜がそのまま天地の由来とされる。ギリシアの創造神話、BC700年頃のギリシアの詩人ヘシオドス作の叙事詩『神統記』を次に示す。

●天地の前には混沌（カオス）のみが存在した。カオスから最初に大地（ガイア）、夜（ニュクス）、闇（エレボス）、愛（エロース）、奈落の底（タルタロス）が生まれた。ニュクスとエレボスから光（アイテル）と昼（ヘメラ）が生まれた。

●ガイアは自力で天（ウーラノス）を生んだ。ガイアはウーラノスとの間にティターンたちを生んだ。ティターン神族（巨神族）には、オーケアノス（大洋）、クロノス（農業）、ムネーモシュネー（記憶）、レアー（「大地」の女神）、ヒュペリオン（太陽神）、コイオス（「天の極」の神）、クレイオス（「天の雄羊」の神）、イーアペトス（ウーラノスとガイアの息子）、テミス（「法・掟」の女神）、テーテュース（海や泉、地下水の女神の母）、テイア（ウーラノスとガイアの娘）がいる。ちなみにティターン神族はオリンポス12神に先行する神々で、10年にも及ぶ「ティターン戦争」が起こったが、ゼウス率いるオリンポス神族が勝利している。

●ウーラノスは子供のティターン神族に地位を奪われまいと、ティターンたちをガイアに押し込めた。怒ったガイアの命を受けたクロノスがウーラノスを去勢し、その男根の泡から美（アプロディーテー）が生まれた。

●ヒュペリオンとテイアの間に太陽（ヘーリオス）と月（セレーネー）が生まれた。クロノスはレアーとの間にオリンポス神族のゼウス、ポセイドン、ハーデース、ヘスティアー、デーメーテール、ヘラを生んだ。

●クロノスは子孫に地位を奪回されると予言されていたため、子供を次々と飲み込んだ。ゼウスだけがレアーによって難を逃れ、単眼の巨人・キュクロープスや百手巨人の3兄弟・ヘカトンケイルと共にティタノマキア（10年戦争）でクロノス等ティターン神族を倒し、冥界の最奥にある牢獄・タルタロスに幽閉した。

●ゼウスが世界の支配者となり、人間がプロメテウスの手によって作られた。神々は争いごとが大好き。『古事記』での「国生み」、「神生み」伝説に似ているのである。

3 オリンポスの神々

●本書カバーに示すオリンポス山（2917m）はギリシアの最高峰で、山麓が海に近いため各種の植物が豊かで、鬱蒼とした森が繁り、山頂付近は鋭い岩峰となっている。神話で、ゼウスやアポローン・ポセイドンなどオリンポスの12神が、山の頂に住むと言われるにふさわしい山である。12神は、図表1－2に示すように主神ゼウスを始めとする男女の神々で構成され、時代により神の名は若干変わる。これらの神々は、ポリス（都市国家）の守護神や神殿の祭神となっている。

図表1－2　オリンポスの12神一覧

神名（ローマ神話）	性別	親子関係	神が司る内容
ゼウス（ユピテル）	男神	クロノス末子。母レアー。	神々の王、オリンポスの主神。雷神、天空神。
ヘラ（ユノ）	女神	クロノスの子。母レアー。ゼウスの妻。	神々の女王。婚姻の神で女性の守護神。嫉妬深い。
アテナイ（ミネルヴァ）	女神	ゼウスの娘。母はオーケアニデスの一柱。	知恵・工芸・戦略の神。戦争の知略を司る。都市の守護神。
アポローン（アポロ）	男神	ゼウスの子。アルテミスの兄弟。母はコイオスの娘。	予言・芸術・音楽・医療の神。光明神、竪琴を手に音楽・詩歌文芸の神。詩歌・踊りのムーサを主宰。
アプロディーテー（ウェヌス）	女神	ゼウスの娘。母ディオーネー。エロースの母。	愛と美の神。
アレース（マルス）	男神	ゼウスの子。母ヘラ。	軍神。戦争の災厄を司る。
アルテミス（ディアナ）	女神	ゼウスの娘。母レートー。双子の弟とされるアポローンの姉。	狩猟・森林・純潔の神。処女神。豊穣の神。

デーメーテール（ケレス）	女神	クロノスの子。母レアー。ゼウスの姉。ペルセポーネの母。	農耕・大地の神。
ヘーパイストス（ウルカヌス）	男神	ゼウスとヘラの子。	火山・炎・鍛冶の神。
ヘルメス（メルクリウス）	男神	ゼウスの末子。母はプレイアデスの一柱。	伝令神。旅人たちの守護神。盗人の神。
ポセイドン（ネプトゥヌス）	男神	クロノスの子。母レアー。ゼウスの兄。ハーデースの弟。	海洋の王。海・泉・地震・馬・塩の神。
ディオニュソス（バッカス）	男神	父ゼウス。母はテバイの王女セメレーで人間。	豊穣・葡萄酒・酩酊の神。

●この神々は好奇心旺盛で、頂の岩峰に立ち、あるいは腰掛け、図表1ー6に示すように何時も下界を見渡している。人間界に美女や美男がいれば、下界に降り立ち、交わり半神を設ける。主神ゼウスは最たるもので、相手の女性の好きなものや、安心感を与えるもの、例えば白鳥・牝牛や黄金の雨に姿を変え、近づくという手法。まさに「ナンパ師」である。「世界の神話と伝説研究会」編著『ギリシア神話とオリンポスの神々』の「ゼウスとかかわった女たちとその子ども」に、具体的な記述がある。8人の女神と交わり、アテナイ等の神々をも

うけ、また人間界の美女7人と交わり半神を作っていると記している。テバイの王女セメレーと交わり酒の神ディオニュソス、アルゴスの王女アルクメネと交わりマケドニア王家の祖ヘラクレスを。一方、女神アプロディーテーは、トロイ王家の男アセメーレースと交わり、ローマの祖アイネイアスをもうける等の神話がある。彼ら自身はヘレネス（ヘレーンの一族）と称し、他者をバルバロイ（意味の分からない言葉を話す者）と区別していた。このヘレネスをギリシア人と称し、ヘレニズムの元である。ギリシアに属さないマケドニアやローマは、祖先がオリンポスの神々の半神なので、オリンピック等の祭典に参加できた。

●神々は、さらにトロイ戦争（図表1－3）のような争い事があると、下界に降り立ち、

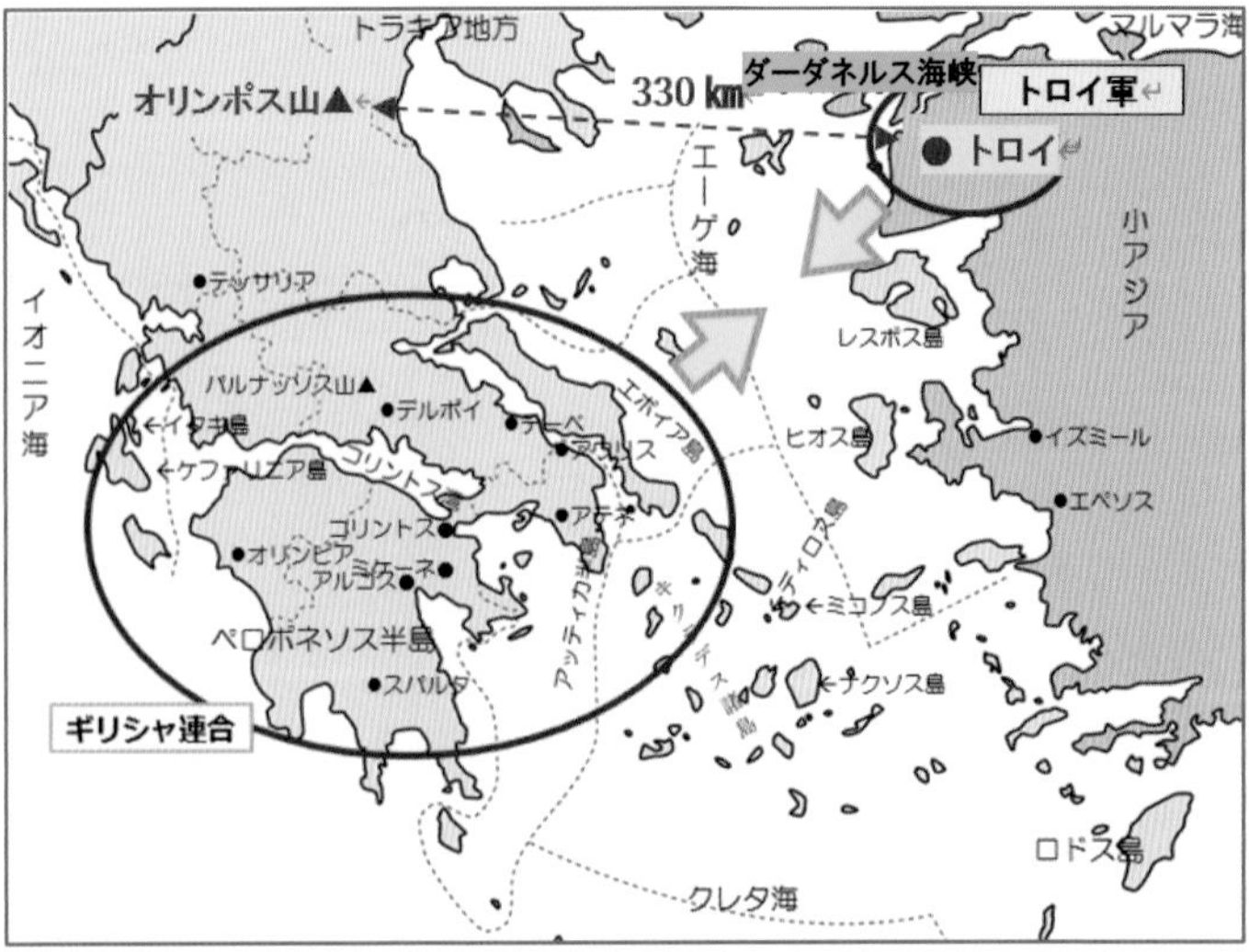

図表1-3　トロイ戦争の交戦国図

仲裁するのではなく、2派に分かれて介入するのである。オリンポス山からトロイまで330㎞もあるが、神々なら視認できるのであろう。謹厳実直ではなく、人間臭い神々なのだ。ヒッピーに近いともいわれている。

4 トロイ戦争と『イリアス』

1『イリアス』

BC8世紀のイオニア出身の盲目の吟遊詩人ホメロスは、『イリアス』で、BC1200年頃起きたトロイ戦争の、アカイア軍（ギリシア）とトロイ軍の10年にも及ぶ英雄たちの争いを記している。この叙情詩の文字化はBC6世紀と言われ、口承により時代とともに変化している。『イリアス』は、10年のトロイ戦争のうち僅か後半の50日しか取り上げていない。トロイは、後の時代のイリオス一帯（現在

図表1-4　ミコノス島考古学博物館所有のピトス（貯蔵用大甕）のトロイの木馬浮彫

（BC7世紀以前のものと推定され、首はスフィンクス、体は馬の像で、躯内や周囲に兵士の像を刻む）

のトルコ北西部）、ダーダネルス海峡（図表1－3）の南にあったとされている。ホメロスは実在人物か？ 複数人いたのか？ そして数多くの合戦があったのか？ 図表1－4に示すような「トロイの木馬の計」があったのか？ 等、今も多くの議論がある。

アレクサンドロス大王は『イリアス』を愛読していた。それを表すように村川編『プルタルコス英雄伝・アレクサンドロス編』に「彼は天性学問・読書を好んでいた。そして『イリアス』を戦術の資料と考え、……『手箱のイリアス』と呼ばれるアリストテレスの校訂版を携えて、いつも短剣と一緒に枕の下に入れておいた」と、記している。またアッリアノス著『アレクサンドロス大王東征記・第1巻・12』に「（トロイで）アキレイウスの墓に花冠をささげた」と記し、トロイ戦争の英雄アキレイウスに傾倒していたのである。このアキレイウスが前記した戦車競走の始祖である。

『イリアス』を、ホメロス等の吟遊詩人がギリシア中で謡い広まった。さらに3大詩人が『イリアス』から演題を取ったアイスキュロスの『アガメムノン』、エウリピデスの『アウリスのイピゲネイア』・『ヘレーネ』、ソフォクレスの『ピロクテテス』・『アイアス』等数多く演じられ、古代ギリシア人はトロイ戦争の存在を疑わなかった。さらにギリシアに憧れる米国では、「トロイ」という名を持つ市や町が33州にもあるとエリック・H・クライン著『トロイア戦争歴史・文学・考古学』（14頁）に、記しているのだ。

『イリアス』に書かれた古代都市イリオスは、長く存在が疑われていたが、ドイツの考古学者・実業家のシュリーマン（１８２２年～１８９０年）の発掘により遺跡が発見された。彼は考古学の素人であったが、幼時より『イリアス』を読み、古代都市トロイの存在を確信し、実業で財を成した後、40代後半にイリオス一帯を発掘した。同地は図表１－５に示すように９層の遺跡があり、火災の跡のある下から第２層をトロイ戦争時代の遺跡と推測したが、その後の調査で、現在では第７層がトロイ戦争の時期（ＢＣ１２００年中期）と比定されている。第６層では繁栄したトロイの遺物（トロイ最後の王・プリアモスの財宝。ただしこの財宝は千年も前の時代のものと判定されている）等が多数発見されている。シュリーマンはトロイのみならず、アカイア軍側の都市国家ミケーネやティリンスを発掘し、古代エーゲ海文明の解明に多大の功績を残した。ミケーネについては『イリアス・第11歌15－46』に「黄金満つるミュケネの王」と記載がある。またティリンスについてホメロスは「強力

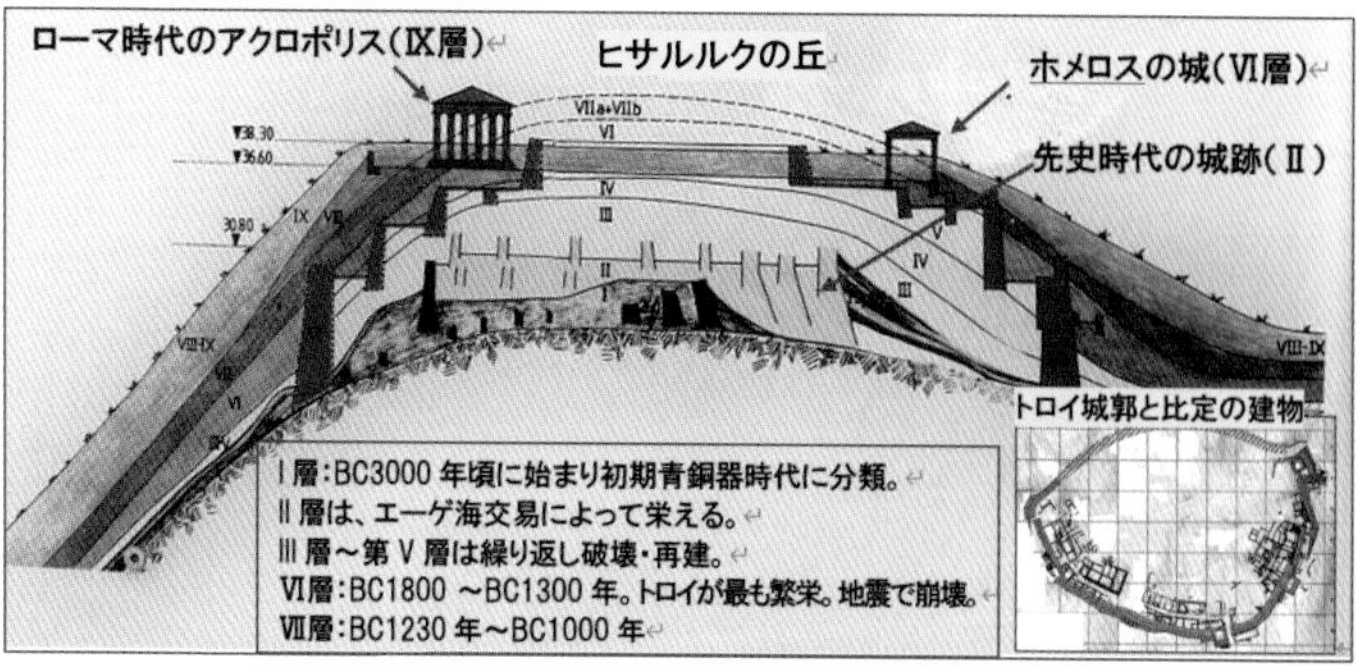
ローマ時代のアクロポリス（Ⅸ層）
ヒサルルクの丘
ホメロスの城（Ⅵ層）
先史時代の城跡（Ⅱ）
トロイ城郭と比定の建物
Ⅰ層：BC3000 年頃に始まり初期青銅器時代に分類。
Ⅱ層は、エーゲ海交易によって栄える。
Ⅲ層～第Ⅴ層は繰り返し破壊・再建。
Ⅵ層：BC1800 ～BC1300 年。トロイが最も繁栄。地震で崩壊。
Ⅶ層：BC1230 年～BC1000 年

図表1-5　トロイの地層年代とトロイ城郭と比定されている建物
（トロイの地層年代は『トロイア戦争　歴史・文学・考古学』118頁より転載、建物は同書130頁より転載）

に囲まれたるティリンス」と記していて、これらを参考に発掘して、大成功をおさめ、「古代史の父」とも言われている。彼は、1865年には日本にも訪れ、『シュリーマン旅行記　清国・日本』を記している。

トロイ戦争の行われたのは、図表1-5に示すダーダネルス（ヘレントポス）海峡に面した標高30mくらいのヒサルルクの丘である。この海峡はエーゲ海とマルマラ海・黒海を繋ぐ水路で、BC480年頃、ペルシア戦争でクセルクセス王が舟橋をかけた。トロイはエーゲ海への入り口の要衝の地で、船は潮待ちもあり交易港、関所として繁栄していた。

2『イリアス』で活躍のオリンポスの神々

『イリアス』に記されたオリンポスの12神や、その他の神々は戦争大好きで、オリンポス山を降り、戦場に現れ、介入している。アカイア軍にアテナイ・テティス・ヘラ・ポセイドンの神々。トロイ軍にゼウス・アレース・アポローン・アルテミス・アプロディーテー・ヘラクレス等の神々が介入し、両軍に分かれ、活躍している。揉め事大好き、お節介好きの神様なのだ。特に、女神アテナイはヘル

図表1-6　オリンポス山とゼウス・アテナイ

メットを被り、槍・盾を持ち、戦場を駆け巡っていた。実際の戦闘は、人間や半神が行い、登場人物は英雄ばかりで、名乗りを上げ、一騎打ちを好んでいた。我が国の源平合戦のようなものである。図表1—6に峨々たるオリンポス山にいるゼウスとアテナイの想像図を示す。

次に神々の活躍の様子を『イリアス』から紹介する。

■女神アテナイのアカイア軍への督戦

「不朽不滅の尊いアイギス（防具）を身に着けたアテナイの姿もそこにある——アイギスからは百本の総が垂れ下がり、総はすべて純金で編まれ、その1つ1つが牛百頭に値する——女神はそのアイギスを身に着け、進め進めと励ましつつ、アカイア勢の陣中をここへ、かしこへと目まぐるしく駆け巡る。かくして兵士ら一人一人の胸中に、不屈の闘志と戦意を掻き立てると、みるみる兵士の気持ちは変わって、ほらなす船で国（アカイア）に帰るよりも、戦いこそが好ましく思われてきた」。第2歌441—454。

■女神アテナイがアカイア軍の勇士の防戦の手助け

「アトレウスの子・剛勇メネラオス、……メネラオスよ、父子にして至福なる神々は、そなたをお忘れではなかったぞ。勝利を賜うゼウスの姫君（アテナイ）は誰よりも早く、そなたの前に立ちはだかって、鋭い矢を防いで下さった。女神は、安らかに眠る幼子から蠅を払う母のように、辛くもそなたの身から矢を逸らし、矢を導いて帯を結ぶ黄金の留金が締まるところ、胸当てが二重に重なる辺りに向けて下さった」。第4歌127—140。

■トロイ贔屓の主神ゼウスに対する、アカイア贔屓の妻ヘレの色仕掛け

「われらはここで臥せって愛の喜びを味わおうではないか。相手は女神であれ人間の女であれ、いとおしく思う心が胸に絡みついて、これほどまでどうにもならない気持にさせられたことはかつてなかった。――イクシオンの妻、その知謀神にも劣らぬペイリトオスを産んだあの女に懸想した時も、これほどではなかった。またアクリシオスの娘で、足首の美しいダナエの時も同様、……ペルセウスを産んだ女……ディオニュソスの母になった女……等々。当のそなた自身に対するかつての想いも、そなたを慕い、甘い憧れに身も心も捕らわれている今のこの気持に較べようもない。……こうして父なる神は、ガルガロンの頂で眠りと愛に身をまかせ、妻を抱いてすやすやと眠っていたが、一方、まどやかな『眠り』の神は、大地を囲み大地を揺るがす神に、事の次第を告げるべく、アカイア勢の船陣に駆けつけた。近くに立ち、翼ある言葉をかけていうには、『今こそポセイダンよ、ゼウスがまだ眠っておられる間に、思う存分ダナオイ勢に加勢し、たとえ暫しの間でも、彼等に勝利の栄誉を与えられるがよい。ゼウスには、私がまどやかな深い眠りを振りかけておりましたし、ヘレが言葉巧みに取り入って、愛の交わりに誘われましたのでな』」。第14歌312－360。

このように人間臭い神々をギリシアの人々は崇拝し、各都市の守護神として神殿を作ったり、お祭りをしたりしているのだ。

３ オリンポスの神々とローマの神々

古代ローマの祖アイネイアスは、オリンポスの女神アプロディーテーとトロイ王家の男アセメーレースとの間に生まれた。従ってローマの神々もオリンポスの神々と関係が深く、図表1－2に示すように、ほとんどが名前を変えただけであり、神殿も同様であった。したがって神様の系譜があったということである。

第2編

メソポタミア文明からエーゲ海文明、BC1200年頃のカタストロフ・暗黒時代

メソポタミア・ウル第3王朝（BC22世紀〜BC21世紀）は、図表2—1に示す地中海やエジプト・インダス文明等との交易があった。これらの交易は大規模なものではなかったが、ラピスラズリ等の貴重品を求めてアフガニスタン北方のヒンズークシ等の遠方まで交易が行われていた。

BC2000年頃〜BC1200年頃にミノア・ミケーネ文明がエーゲ海に花開き、図表2—8に示すBC14世紀後半のウル・ブルン難破船からわかるように、盛んに海上交易が行われていた。しかしBC1200年頃のカタストロフ（大破局）さらに400年にわたるギリシアの暗黒時代に、東の大国ヒッタイトが滅亡し、南の大国エジプトは衰退、エーゲ海のミケーネ文明も滅亡し、従来の青銅器文明から鉄器文明に置き換わった。そして次に、フェニキアやギリシアが勃興し、地中海全域で交易が行われ、グローバル化の曙となった。

ここでは、いつエーゲ海文明が花開き、その後、暗黒の時代が到来し、さらにグローバル化の曙が到来したのかを明らかにするため、以下の項目について紹介する。

●素晴らしいフレスコ画で飾られた宮殿・舗装と、城壁のないミノア文明
●巨石とドーム構造物・城壁で囲まれたミケーネ文明（BC1600年頃〜BC1200年頃）
●地中海交易の盛況を示すBC14世紀後半のウル・ブルン難破船
●BC1200年頃のカタストロフ。「海の民」と暗黒時代

1 素晴らしいフレスコ画で飾られた宮殿・舗装と、城壁のないミノア文明

1 ミノア文明（BC2000年頃〜BC1400年頃）の歴史

クレタ島に人類が居住し始めたのはBC7000年頃。青銅器の時代のミノア文明（クレタ文明）の全盛期はBC2000年頃〜BC1400年頃である。クレタは地中海で5番目の大きな島で、ギリシア・小アジア・アフリカからも遠く、独自の地中海交易で発展した初の海洋国家であった。それとともに、年間500㎜を超える降雨量と、農耕に適した広い土地があり豊かだった。

最初の宮殿がBC1900年頃に、図表2−1に示すクノッソス、マリア、フェストスなどに建てられ、地域ごとに物資の貯蔵・再分配を行った。また貿易を通じてエジプトやフェニキアの芸術・文化も流入し、高度な工芸品を生み出した。BC1600年頃には、各都市国家の

中央集権化・階層化が進み、クノッソス、フェストスが島中央部を、マリアが島東部を支配した。クレタ島はエーゲ海の入り口の島で、エーゲ海や黒海に航行する船にとって関門の位置にあり、海賊を行えば多くの獲物が得られた。トゥキディデス著『戦史』に、ミノス王の海賊退治が記されているように、当時世界最強の海軍を有していたため、城壁が無い。

ＢＣ１６２８年頃、北方１２０㎞のサントリーニ島が大爆発。数十メートルの津波が襲来し大きな被害を受けたと言われているが、宮殿は高所にあり被害は少なかった。ＢＣ１３８０年～ＢＣ１１００年頃に南下した鉄器民族ドーリス人或いは海の民により滅ぼされ、ミノア文明は崩壊した。クレタ島の再生はローマ時代になってからである。

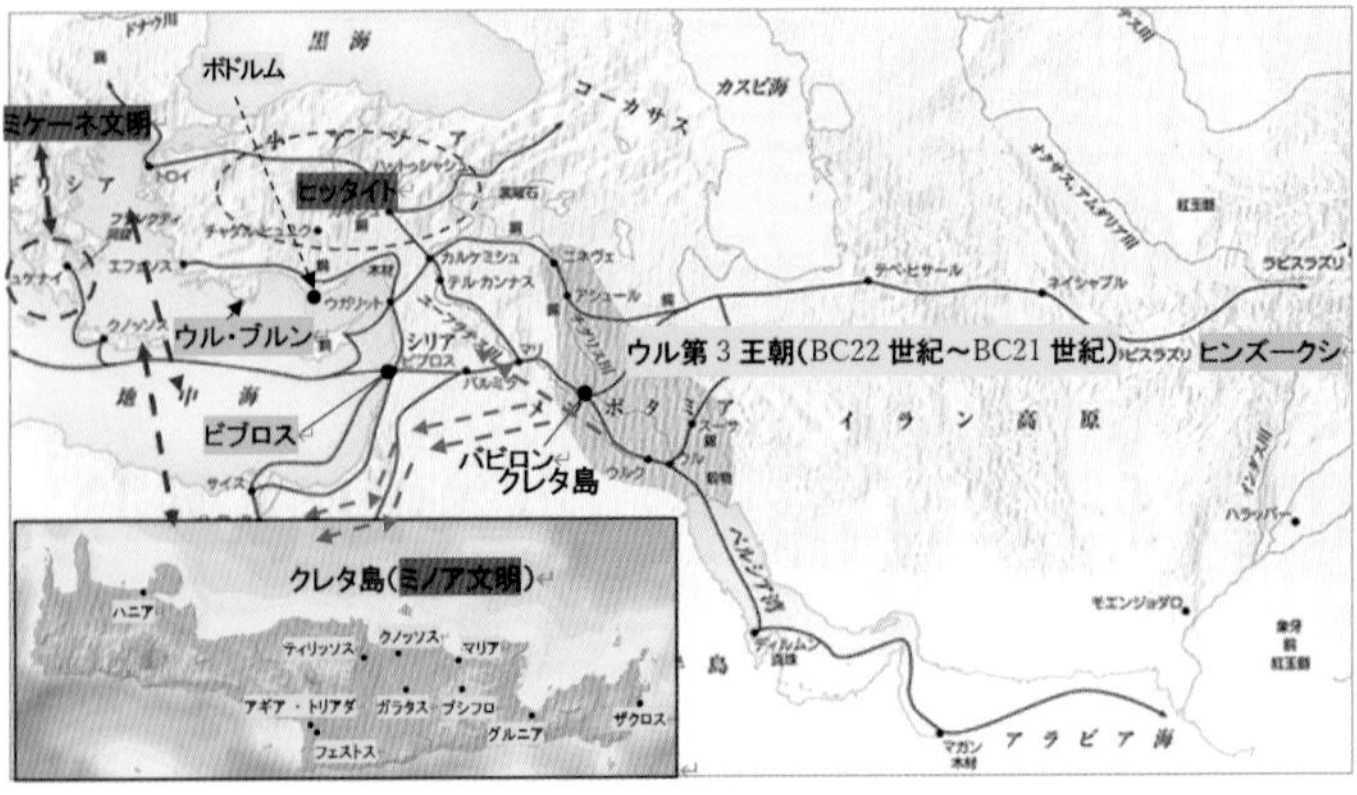

図表2-1　ウル第３王朝期のメソポタミア・インダス・地中海の交易図

2 クノッソス宮殿

ミノア文明の代表的構造物は、色彩豊かなフレスコ画で彩られたクノッソス宮殿と、道路を始めとした石版舗装技術である。

図表２－２に示すクノッソス宮殿の一辺は１６０ｍ以上、部分的には４階建ての建物で、部屋数は１２００室以上であり、部屋の壁には見事なフレスコ画があった。宮殿内部に巨大な倉庫を備えて、支配領域内の物資を集積、再分配する機能を持っていた。宮殿に近い家々にも見事なフレスコ画が飾ってあった。

クレタの宮殿建築は、中宮殿壁画庭は外部から直接に進入することができ、建物は常に外部に対して開放されていて、非常に平和であったことが推察される。初期の宮殿建築では、宮殿に接して市民の公共空間が設けられていたが、後期ミノア時代に社会体制が中央集権化・階層化するとともに次第に公共

図表2-2　クノッソス宮殿の図面・復元鳥瞰図と現況（北側入り口そばの柱廊の玄関と全景）

空間は廃れ、他の建築物が建てられた。祭政を一体として行っていたために、独立した祭儀場を持たない。さらに主要な部屋の床下には排水土管が埋設され、水洗便所もあり非常に衛生的とみなされている。

3 舗装等

市街地には「王の道」と呼ばれる舗装道路が横切っており、宮殿から郊外にまで通じている。焼成粘土で作られたパイプにより水の供給・排水システムも充実しており、郊外の泉から生活用水を市街地や宮殿にもたらしていた。道路は図表2−3に示すように踏み固められた地盤の上に、粘土と石膏・砕石を使用した約20㎝の強化土層、その上に6㎝程度のローム・モルタルをクッション材として、厚さ6㎝の石灰岩や玄武岩等の石版で3層の舗装をした。この時代には積層による舗装道路の考えが既にあった。クノッソス宮殿の4㎢もの敷地のみならず、島内の幹線道路が石版舗装されていた。このため4000年後の現在でも、舗装版の割れは少なく、その線形は直線が基本とな

舗装道路

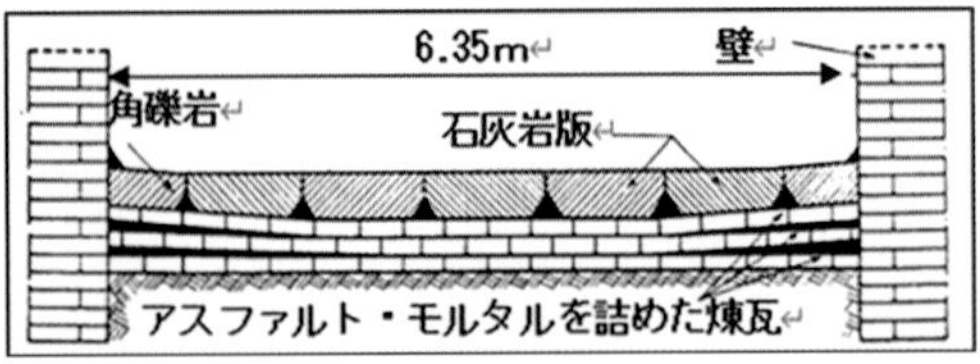

道路構造図

図表2-3　クレタの舗装道路

り、対応できないところだけ、地形に合わせていた。

ペルシアのバビロニアには、ＢＣ６世紀頃、王が行進する石灰岩版舗装の「行列道路」があった。ミノア文明の全盛期はＢＣ２０００年頃～ＢＣ１４００年頃であり、バビロニアに比較して８００年以上前であり如何に進んだ文明かが分かる。さらにローマ街道の第1号はＢＣ３１２年のアッピア街道。信じられないようなことだが、古代ローマより、大略２０００年も前に高度な舗装技術があったのだ。地中海交易による富のなせるわざであろう。

２ 巨石とドーム構造物・城壁で囲まれたミケーネ文明（ＢＣ１６００年頃～ＢＣ１２００年頃）

前記したように、ホメロスが『イリアス』の第11歌15－46に「アテナイとヘラとは、黄金満つるミケーネの王に敬意を示して、雷をはためかせた」と謳った。これに刺激されてシュリーマンは、**図表２－４**に示すトロイ・ミケーネの発掘を行った。

●ミケーネ文明はＢＣ１６００年頃、アルゴス（ペロポネソス地方東北部）地方で興り、ミノア文明と同じく地中海交易によって発展した。ミノア文明と交易をして、後にクレタ島に侵攻、征服したと考えられている。ミケーネは、トロイ戦争でトロイを滅ぼしている。ホメロスは『イリアス』で、ミケーネをアカイア軍総司令官アガメムノンの居城としている。

●ＢＣ１１５０年頃、海の民とドーリス人によって、ミケーネ、ティリンス等の都市国家が破壊・崩壊された。ミケーネは、後の都市国家社会と異なり、王が君臨し統治している村々から農作物、家畜などを貢納させていた。

●ミケーネ文明は、ミノア文明とは異なり外敵の脅威にさらされたため、図表２－５に示すミケーネ文明の建築は模倣的で巨石を用い、円頂墓を造るなど、堅牢な城壁で囲まれ閉鎖的なものとなっている。中庭はミノア文明では動線の起点であったが、ミケーネ文明では動線の基軸はメガロン（大広間）と呼ばれる室内空間で、建物は対称性が重視されていた。

●図表２－６に示すミケーネ城址の「獅子門」は、高さ３・１ｍ、幅３・０ｍ。門の

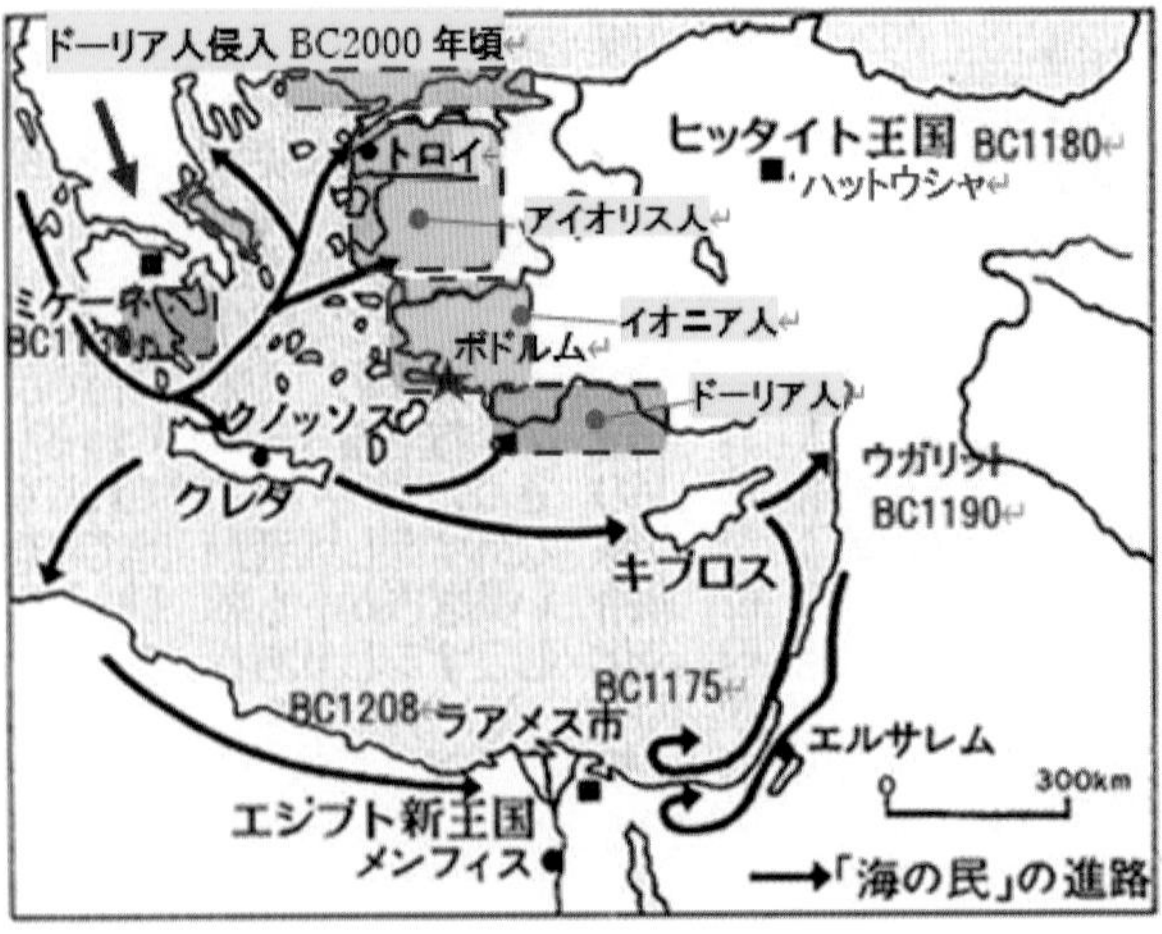

図表2-4　ギリシア民族の移住とBC1200年のカタストロフ・「海の民」

図表2-5　ミケーネ城址の現状と鳥瞰図

図表2-6　ミケーネの獅子門（高さ3.1m、幅3.0m）とアガメムノンの黄金のマスク

図表2-7　アトレウスの宝庫（直径14.5m、高さ13.2m、34段の石積みドーム構造）

上の獅子のレリーフの岩は、長さ4・5m、幅2・0m、厚さ0・8mと巨大であった。BC1250年頃に建設された図表2－7に示すアトレウスの宝庫又は通称「アガメムノンの墓」と呼ばれ、直径14・5m、高さ13・2m、34段の石積みドーム構造で、「トロス」と称する。入り口の上の「まぐさ石」は重さ120トンもある。ちなみに世界最大の無筋コンクリート製ドームは、2世紀に建造のローマのパンテオンで、直径43・5m。それ以前は、BC1世紀に建設されたナポリ近郊バーイエ浴場の直径21・5mである。これも信じられないような高度な技術力があり、ローマ時代より、1000年以上前に巨大ドームを建造しているのである。ちなみにアトレウスはトロイ戦争の英雄アガメムノンの父である。また「アガメムノンの黄金のマスク」と称される仮面は、BC1550年～BC1500年の作で、アガメムノンより300年ほど古い。ホメロスが歌ったという「黄金豊かなミケーネ」を示しているのだ。

③ 地中海交易の盛況を示すBC14世紀後半のウル・ブルン難破船

1960年トルコ・アンタルヤ地方のゲリドンヤ岬（ウル・ブルンより東）沖で発掘された図表2－8に示す「ウル・ブルンの難破船」はレバノン杉製で、長さ18m、幅10mで、古代エジプト新王朝のアクエンアテン王妃・ネフェルティティ（BC1370年頃～BC1330年頃）の印章があることから、ＢＣ14世紀後半に沈没した交易船と考えられている。交易船はキプロス、又はパレスティナの港から出航し、キプロスの西の地域に向かい、最終目的地は、ミケーネの宮廷間の贈答交易及び、通常交易用の船舶である。

船の搭載品は、牛革状銅インゴット10トン、楕円形銅インゴット175個、錫インゴット1トン、エジプト産ガラスのインゴット175個。ネフェルティティ妃の名を刻んだ金のスカベラ、バルト海産琥珀。アンフォーラ内のワイン・オリーブオイル・乾燥果物等。これらの搭載物の産地は、北ヨーロッパからアフリカ、西はシチリア島とサルデーニャ島、東はメソポタミアにまで及ぶ。

いずれにしろ暗黒時代（ＢＣ12世紀〜ＢＣ９世紀）以前に、地中海交易が盛んに行われていたのである。ちなみに図表２−１に示すボドルムは、エーゲ海の重要交易拠点で、古代都市ハリカルナッソスである。ヘロドトスの出生地で、ＢＣ４世紀に造られたマウソロス霊廟は古代世界７不思議の一つである。

図表2-8　ウル・ブルンの難破船とCG（ボドルム水中考古学博物館蔵）

4 BC1200年頃のカタストロフ。「海の民」と暗黒時代

通称BC1200年頃のカタストロフ（大破局）で、環東地中海を席巻する大規模な社会変動が発生し、当時、ヒッタイトのみが所有していた鉄器の生産技術が、地中海東部の各地や西アジアに広がることにより、青銅器時代は終焉を迎え、鉄器時代が始まった。この大破局は、古代エジプト、西アジア、アナトリア半島、クレタ島、ギリシア本土を襲った。災厄の原因は諸説存在しており、未だ結論が得られていない。また古代ギリシアの「暗黒時代」とは、BC1200年頃〜BC700年頃までの間における文字資料に乏しい時代のことであり「海の民」自体存在がよく分かっていない。

1 BC1200年頃のカタストロフ

BC1200年頃のカタストロフについて、フェルナン・ブローデルの分析によれば下記の三つの説、aヒッタイトの崩壊。bエジプトにおける「海の民」の襲撃。cエジプト新王朝の衰退、ギリシアのミケーネ文明の崩壊がある。この他、地震等の自然災害も要因としてあるが、主要因ではないとの判断である。地域ごとのカタストロフと「海の民」の関係を図表2－9に示す。

図表2－9　カタストロフと「海の民」の関係

国地域	崩壊等の時期
ヒッタイト	ヒッタイト王国（ＢＣ16世紀～ＢＣ１１８０年）。「海の民の襲撃」は、よく分からない。王国末期の３代に及ぶ内紛が原因で、深刻な食料難等を招き、ＢＣ１１８０年衰亡。その後、小国分離状態がＢＣ８世紀にアッシリア帝国に征服される。
エジプト	エジプト新王朝（ＢＣ１５７０年～ＢＣ１０７０年頃）。ＢＣ１１９０年の「ペルイレルの戦い」、ＢＣ１２０８年の時の「デルタの戦い」で「海の民の襲撃」があったが撃退。それ以降衰退。ＢＣ６７３年、アッシリアに敗れ、アッシリア帝国の支配に服す。
ウガリット・キプロス	ウガリット・キプロスの宗主国はヒッタイト。ＢＣ１１９０年頃、「海の民の襲撃」で崩壊。ウガリット・キプロスはアッシリア帝国に支配される。
クレタ	ＢＣ１３８０年～ＢＣ１１００年頃にミケーネのアカイア人に続いて、ドーリス人がクレタ島に侵入、ミノア文明は崩壊。海の民原因説もある。それ以降、安定的で、大きな崩壊はなかったようである。
ミケーネ	ＢＣ１６００年頃、アカイア人移住。ＢＣ１１５０年頃、ドーリス人或いは「海の民」によってミケーネ、ティリンス等の都市国家が破壊され、ギリシアのポリスが栄えた。スパルタは伝説によれば、ＢＣ１１０４年にエウリュステネスが建国したとされている。
ペロポネソス	『戦史』巻12にトロイ陥落の80年後（ＢＣ１２００年陥落とするとＢＣ１１２０年）には、ドーリス人がペロポネソス半島を占領したとある。

２「海の民」によるエジプト侵入と衰退

ＢＣ12世紀〜ＢＣ９世紀の暗黒時代に活躍した「海の民」は謎の民族である。戦士軍団なのか、移住集団なのかもよく分からない。図表２－10に示すように、彼らはドーリス人やフェニキア人等と協同してエーゲ海周辺等に猛威を振るい、ミケーネ・ヒッタイト王国等を攻め滅ぼし、エジプトに攻め入った。ＢＣ１１９０年、19王朝のメルエンプタハの時の「ペルイレルの戦い」、20王朝のラムセス３世の時の「デルタの戦い」で撃退されたが、新王朝（ＢＣ１５７０年頃〜ＢＣ１０７０年頃）の衰退の原因を作ったと言われている。ドーリス人同様、鉄器文明を持ち、陸戦にも海戦にも強かったようである。

なお、「海の民」の一部のフィリスティア人（ペリシテ人）がシリア沿岸南部に上陸し、ガザ地区に定住し、内陸にも進出し、支配した地域がパレスティナである。ＢＣ11世紀の終わりに、イスラエル民族と推定

図表2-11

BC10世紀〜BC８世紀のフェニキアの諸都市国家位置図

図表2-10　「海の民」の侵攻図

されるヘブライ人が、ペリシテ人を抑えてヘブライ王国を建設したと言われている。

①「ペルイレルの戦い」

確実に「海の民」であると特定できる最初の言及は、メルエンプタハ（在位ＢＣ１２１２年～ＢＣ１２０２年）５年（ＢＣ１２０８年）の石碑に、「古代リビア人及び海の民の連合軍の侵略に打ち克ち、６０００人の兵を殺し９０００人の捕虜を得た」と書かれているものである。この時の「海の民」は、アカイワシャ（アカイア）人・トゥルシア（エトルリア）人・ルッカ（小アジア南西部のリュキア）人・シェルデン（サルデーニャ）人・シェケレシュ（シチリア）人の五つの集団から構成されていたと、記されている。この記録からイタリア・ギリシア・トルコを含む広範囲の民族が参加していたようだ。サルデーニャ島からナイル河デルタ地帯まで１４００㎞もあり、このような広域ネットワークが可能だったのか？　との疑問もある。

②「デルタの戦い」

「ペルイレルの戦い」から約30年後、古代エジプトで大きな権威を持った最後のファラオ・ラムセス３世（在位ＢＣ１１８６年～ＢＣ１１５５年、諸説あり）は、在位８年目（ＢＣ１１７９年、或いはＢＣ１１７７年）に「海の民」の侵攻に対して勝利した。いわゆる「デルタの戦い」で、ラムセス3世葬祭神殿に浮彫とともに記述がある。この時に侵攻した「海の民」を構成した諸族、ペリシテ人（ミケーネ文化を構成したギリシア人）・チェケル人（トロイ戦争記事に現れる）・シェケレシュ人（「ペルイレルの戦い」に参戦）・デネン人（ヒッタイト帝国時のキリキアのアダナ人）・ウェシェシュ人（未特定）を示している。

葬祭神殿の碑文には、牛車に乗せられた女性と子供が描かれているため、攻撃者は定住する場所を探している移民集団であったと考えられている。それを表すように「海の民」は帆船のみであり、エジプト軍船は櫂を備えて、自由に船を操れたのが勝利の理由といわれている。

③エジプトの衰退

ラムセス3世の治世を最後に、新王国（BC1570年頃〜BC1070年頃）の王権は急速に衰退し始め、逆に勢力をのばしたテーベのアメン神殿・神官団が、事実上の国家を樹立して上エジプトに支配を広げ、エジプトの統一が再び失われた。テーベ神殿群、ヘリオポリス神殿群、メンフィス神殿群等がそれぞれ力をもち、王はそれに従属するようになった。またリビア・ヌミデアの侵略を受け、各々の王朝が作られ、やがて第25王朝の王タハルカが、BC673年、アッシリア王エサルハドンに敗れてヌビア地方へ退去したため、エジプトはアッシリアの支配に服した。

3 ウガリット・キプロス・ヒッタイトの「海の民」による崩壊

ＢＣ１２００年のカタストロフ以前、ウガリット・キプロスは、ヒッタイトを宗主国として緊密な関係にあった。

●図表２−10・11・12に示すウガリットは、ＢＣ60世紀頃には居住が行われ、フェニキア最北端の交易で栄えた都市で、メソポタミアやエジプトと交流していた。外敵の侵入が古くからあったため、集落全体を城壁で囲んでいた。エジプトと接触した最古の証拠は、エジプト第12王朝のセンウセレト１世（ＢＣ１９７１年〜ＢＣ１９２６年）から送られた紅玉髄のビーズがある。全盛期はＢＣ16世紀〜ＢＣ13世紀で、独自の表音文字・ウガリット文字と、ユダヤ教の聖書に繋がるカナン神話の原型ともいえるウガリット神話集がある。

●ＢＣ13世紀初頭にはエジプト・ヒッタイト間でシリアをめぐる勢力争いがあったが、この際にはヒッタイト側に立った。エジプト第20王朝のラムセス３世（在位ＢＣ１１８６年〜ＢＣ１１５５年）の治世８年目にはすでに「海の民」の侵入によって破壊された。

宮殿入り口

図表2-12　ウガリットのラス・シャムラ港湾遺跡

●ウガリットの最後の王のアンムラピ（BC1191年〜BC1182年）は、ヒッタイト王シュッピルリウマ2世（在位BC1214年頃〜BC1190年頃）より、「船上で生活するシェケレシュ」について警告を受けている。この直後にウガリットが滅亡。アンムラピ王は、アラシヤ（キプロス）の王からの援助の嘆願書を受領したが、「海の民の襲来でそれどころではない」との返書を送っている。アラシヤの宗主国がウガリット。その宗主国がヒッタイトで、同時期に崩壊となっている。

●通説では、ヒッタイトが「海の民」に滅ぼされたのはBC1180年と言われている。最近の研究で王国の末期に起こった3代に及ぶ内紛が深刻な食料難等を招き、国を維持するだけの力自体が既に失われていた。その後、小国分離状態でBC8世紀にアッシリア帝国によって征服されるまで続いた。

4 地中海東岸の雄・フェニキアの興亡

図表2-11に示すフェニキア人は、エジプトやバビロニアなどの古代国家の狭間の地域に居住して、その影響を受けて文明化して、BC15世紀頃から都市国家を形成し始めた。しかしそれ以前から、レバノン杉等の貴重な資材を、部族としてエジプト等に水上交易を行っていた。BC12世紀頃から海上交易が盛んになりBC8世紀頃まで、北アフリカ・イベリア半島に進出して、地中海全域を舞台に活躍した。その事例として西はスペインのカディスに交易中継・植

民都市を建設している。また、交易活動にともなってアルファベットなどの古代オリエントで生まれた優れた文明・文化を地中海世界全域に伝えた。

フェニキア人の建設した主な都市には、北から、ウガリット、アラドス（現在のアルワード島）、ビブロス、ベリトス（現在のベイルート）、シドン、ティルス（現在のスール）などがある。カルタゴなどの海外植民市を建設して地中海沿岸の広い地域に広がった。ということは最北の都市ウガリットは、暗黒時代の「海の民」の侵入で破壊されたが、それ以南の都市は侵略を受けず発展したのである。そして暗黒時代にも、航海術・詳細を駆使して地中海世界に交易植民市（エンポリオン）を造った。ウガリットについては既に記したので、ティルス等について記述する。

①ティルス

●ＢＣ２５００年、ビブロスやベイルートと共に、フェニキア人の都市として成立し、ＢＣ11世紀〜ＢＣ９世紀が最盛期であった。ＢＣ１１０４年にはスペインのカディスに植民都市を造り、さらにカルタゴを建設した。ＢＣ９世紀からＢＣ６世紀にアッシリア・新バビロニアに抵抗するも、その後、服属した。

●ＢＣ３３２年、アレクサンドロス大王の東征軍に抵抗したが陥落、皆殺し、徹底的に破壊された。このためフェニキア時代の遺跡は残っていない。後にアレクサンドロス大王の許しを得て再建されるが、政治的にも経済的にも弱体化し、その後、セレウコス朝シリアやローマ帝国の支配下に置かれる。遺跡はローマ期のものしか残っていない。

②ビブロス

●フェニキア都市の最南端で、元々「グブラ」後に「ゲバル」の名前で、現在はジュベイルと呼ばれている。フェニキア人の発祥の地であり、アルファベットの元になったフェニキア文字発明の地でもある。ＢＣ３０００年紀の前半には、図表2-13に示す守護神であるバアラト・ゲバルを祀った神殿が造られ、現存している。同図に示すオベリスク神殿は、フェニキア人が、ＢＣ１９００年頃～ＢＣ１６００年頃までに造った。

●フェニキア人は、ビブロスの東に位置するレバノン山脈に自生するレバノン杉を資源として活用していた。ビブロスからレバノン杉をエジプトへ輸出し、エジプトのパピルスを中継貿易で地中海諸国に輸出をして、地中海貿易の主役となっ

図表2-13　ビブロスのバアラト・ゲバルを祀った神殿とオベリスク神殿

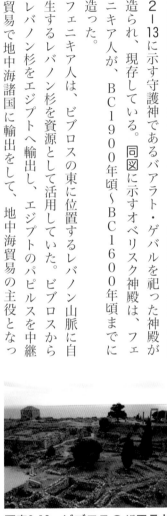

たのである。スネフェル王（在位ＢＣ２６１３年〜ＢＣ２５８９年）がレバノンから40隻分の木材を購入した記録があり、またクフ王（在位ＢＣ２５５１年〜ＢＣ２５２８年）は、ピラミッド付近の石杭に入れた「太陽の船」にレバノン杉を使用し、ペピ2世（在位ＢＣ２２４６年〜ＢＣ２１５２年）治世に、プント国遠征用の船舶を紅海で建造し、フェニキア船員を提供していた。

●「ビブロス」という呼称は、ギリシア語でパピルスを意味する。パピルスがここを経由してギリシアなどに運ばれたことによる。ギリシアでは紙は原産地のエジプトではなく、積出港のビブロスとして知られた。やがてビブロスから「ビブリオン」（本）という言葉ができ、「ビブル」（聖書）が生まれた。

第3編

ギリシア文明そしてグローバル化の曙。民族移動と海賊行為――その防衛対策

古代ギリシアを構成した主たる民族は、ドーリス人・アイオリス人・イオニア人である。トゥキディデス著『戦史・巻12』に「現在のボイオーティア人の祖先たちは、元はアルネーに居住していたが、トロイア陥落後60年目に、テッサリア人に圧迫されて故地をあとに、いまのボイオーティア、古くはカドメイア（テバベ）といわれた地方に住み着いた。また80年後には、ドーリス人がヘラクレスの後裔らとともに、ペロポネソス半島を占領した。こうして長年ののち、ようやくギリシアは永続性のある平和をとりもどした。そしてもはや住民の駆逐が行われなくなってから、植民活動を開始した」とある。トロイ陥落をBC1200年とすると、ドーリス人のペロポネソス半島占領は、BC1120年となる。

ここでは、以下の疑問について歴史的史実も交え、紹介する。

●なぜ、ギリシア人が定住地から移動したのか？

●移動の方法はどのようなものであったのだろうか？

●民族移動に対しての先住民族の防衛対策はどのようなものだったのか？
●植民市建設と海賊退治は、どのようなものであったのか？

1 なぜ、ギリシア人が定住地から移動したのか？

下記に示す弱い農業基盤から、ギリシアの人々は海賊・傭兵や植民市建設、民族の移動を作り出した。

エーゲ海の島々やその沿岸、さらにギリシアの地形は、平原が少なく山地が多い。したがってメソポタミアのように、長大な道路や水道等のインフラ建設ができなかった。寡雨で、農業生産条件は恵まれていない。さらに大河があったわけでなく大規模な灌漑農業はできず、主生産は、僅かな麦と、乾地気候に耐えられるオリーブ、ブドウ程度である。余剰農産物は少ないので、生活の糧には、漁業と交易が重要な位置を占めた。人々は山あいの平地に割拠して、街を造り暮らしていた。

ギリシアの自然条件を、ローマ帝国を作ったイタリア、そして我が国と比較すると、首都の平均降雨量は、イタリア７４６㎜、日本１４０５㎜、ギリシア３７４㎜。最高峰２９１７ｍのオリンポス山を有するギリシアの平均標高は４９８ｍ。アルプスを有するイタリアは５３８ｍ、日本は３８２ｍである。したがって農業のための条件は良くなかった。人口が増えると、増加した住民に与える耕作地は少なく、主食の麦が足りなくなった。したがって交易をしたり、近傍の町を襲ったり、海賊行為を行ったりしたのである。このため各ポリス（都市国家）は、強固な防壁を築き侵入に備えた。

②民族移動と防御策

民族移動の原因は、移動側の民族の論理であり、移住地の民族にとっては迷惑至極のことが多い。

陸の民族の襲撃に対する防御長城は、メソポタミアのアモリ族撃退壁（全長250km。BC2037年～BC2029年頃）、匈奴に対する万里の長城（全長6200km。BC214年に始皇帝によって造られ、明代の1568年頃まで建設・改修が繰り返された）、ケルト人侵入に対するスコットランドのハドリアヌス城壁（全長118km。122年～132年）、ゲルマン人の侵入（大移動）に対するライン川・マイン川流域の土地と通商路を守るリーメス（全長580km。1世紀末頃～2世紀中頃）等数多くの事例がある。

海の民の襲撃に対しては、都市をアテネやローマのように海から離れた地域に設けた。

3 古代ギリシア人と都市国家（ポリス）の誕生

●ギリシアを構成する主要民族、ドーリス人・イオニア人・アイオリス人の移動経路を図表2－4に示した。

✧ドーリス人は、鉄器文明を持っていて、BC1100年頃ギリシアに侵入し、主にペロポネソス半島に定住し、スパルタ人の祖先である。

✧アイオリス人はBC3000年頃にドナウ川流域から移住し、BC2000年頃にギリシア本土中部テッサリアとボイオーティア地方に住み、さらに対岸・小アジアのアナトリア半島西部に植民した。

✧イオニア人はアカイア人の一部で、BC2000年頃テッサリア方面から南下してペロポネソス半島一帯に定住した。ミケーネ文明を構成した集団と考えられており、ミノア文明（クレタ島）を滅ぼした。

●ヒッタイトは、BC1600年頃にアナトリアの北中部に位置するハットゥシャ（アンカラの東約150㎞）を中心とした帝国を樹立したアナトリア人である。この帝国はレバノン等のレバント北部と上部メソポタミアの一部を含む区域を領有して、BC14世紀半ばに絶頂期となった。

●ポリス（都市国家）の象徴であるアクロポリスとは、「小高い丘、高いところ、城市、平地内の孤立した丘」を意味し、ポリスの中心部となる丘で、のちギリシア都市国家のシンボル的な存在ともなった。通常、防壁で固められた自然の丘に神殿や砦が築かれている。アクロポリスは当初、対外的軍事拠点つまり城砦であったが、BC7世紀にはポリス市民の信仰の対象ともなり、都市国家における共同体の絆のシンボルとして神殿が築かれ、ポリスの守護神を祭った。

④ フェニキア・ギリシア・マケドニア（アレクサンドロス大王）の植民市建設

●古代のフェニキア・ギリシアの植民市は、全く異なる場所、すなわち飛び地に、新たに都市国家を建設したものが多い。植民市は、本国と通商や文化の面では深く繋がっていたが、後のマケドニアやローマの植民市と異なり、政治的、軍事的に密接に結び付いたものではなかった。フェニキアの植民市は独立した都市国家、あるいはそれに近い形態として運営されたのだ。

●図表3―1に示す植民市建設には以下の理由がある。

✧BC12世紀～BC9世紀の暗黒時代、ドーリス人や「海の民」の侵入により追い出された、ギリシア人の小アジア（イオニア）への移住。

✧前記した国土の条件から、人口が増大すると海外移住をせざるを得なかった。彼らは海上交易が容易な天然の良港をもつ地域を植民市とした。その中には第6編に示すように、シチリア島のセリヌス、アグリジェント等の都市国家は、アテネのパルテノン神殿より早く大規模な神殿を建設した。シチリア島はさらに後年には、シラクーサ、カルタゴ、ローマ等が領地争奪戦をするほど農耕に適した場所であり、当初は「食いはぐれ」の植民集団であったが、大規模神殿を建設できるほど豊かになったのである。

✧特にフェニキア人の中には、金属資源等の獲得のため中継交易植民市（スペインのカディス、ポルトガルのリスボン等）を建設した。

✧母市の住民の内部抗争で植民がされた。

そしてこれら植民市建設場所は、元々、原住民が住む良好な土地で、移住者が暴力的に奪い取ったもの、すなわち海賊行為が多い。さらに通商交易でも海上航行は海賊襲撃の恐れがあり、図表3−2に示すフェニキア商船は軍船同様の武装をしていた。違いは敵船を攻撃する衝角の有無で

図表3-1　ギリシア人・フェニキア人の進出路

ある。
●植民都市はエンポリア（交易拠点）とアポイキア（都市国家）に分類される。エンポリアとしては、フェニキアのカディス、リスボン、ウティカ等、ギリシアのビザンティオン（イスタンブール）等がある。ここで最も古い植民市は、フェニキアではカディス（ＢＣ１１０４年）、ギリシアではミレトスによる黒海のシノペ（ＢＣ８１２年）である。植民市進出の歴史から考えると、ギリシア・イオニアは「海の民」に起因するＢＣ１２００年頃のカタストロフ、その後の暗黒時代の影響が大きく、一方、フェニキア（ウガリットを除く）は影響が少なかったと思われる。ちなみにカディスはイングランド（コーンウォル半島。錫鉱山）との中継貿易のエンポリアとともに、近傍に銅鉱山があり採掘・生産のためアポイキアの両要素があった。
●シチリア島は地中海交易の要衝の位置のみならず、耕作地にも恵まれ、古くから居住があった。フェニキアがＢＣ７３４年にパレルモを建設。ギリシアは同年シラクーサを設立。それ以降ＢＣ５８０年のアグリジェント等数多くの植民市が建設されてい

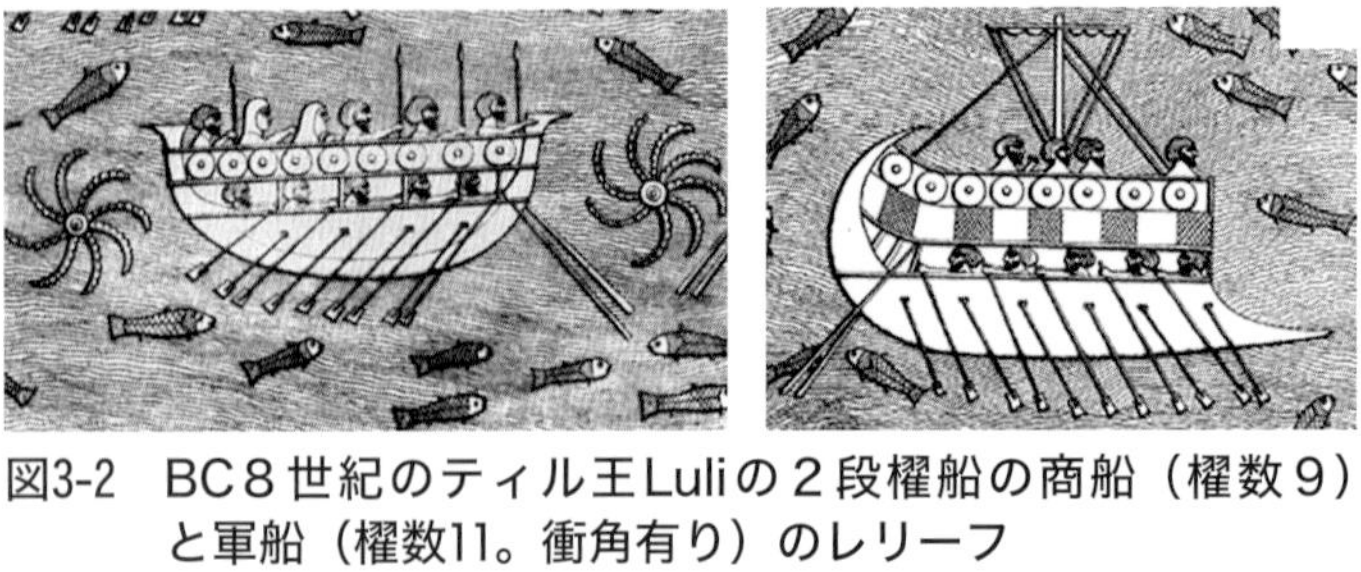

図3-2　BC８世紀のティル王Luliの２段櫂船の商船（櫂数９）と軍船（櫂数11。衝角有り）のレリーフ

る。この豊かなシチリアで、神殿の大きさについて検討すると、アテネのパルテノン神殿は70m×31m。一方、植民都市セリヌス109m×50mと2・5倍もある。これだけの神殿を造ることは、前記したように「食いはぐれ」の植民都市が豊かになったということである。その豊かさを表すように、シラクーサ対カルタゴ、シラクーサ対アテネ、ローマ対カルタゴ等、多くの覇権争いが行われた。

❶グローバル化の曙を創ったフェニキアの植民市

フェニキア人は単一民族ではなく、ヘブライ人、アラム人とともに北西セム系に属し、混血が進んだ。元々シナイ半島に住んだ砂漠の漂流民ベドウィンの流れを汲む、と言われている。そして政治的に統一されたことがなく、北からウガリット、アルワード、ビブロス、ベリトス(現ベイルート)、シドン（現サイダ)、ティルスなどの沿岸諸都市を中心に都市同盟を形成し、早くから海上交易を活発に行った。この中でウガリットのみ1193年「海の民」と思われる襲撃により崩壊した。

●フェニキアはエジプト・メソポタミアの大国に挟まれ、交渉術に優れ、レバノン杉の生産地として造船術を会得し、クレタ（ミケーネ）の操船術を学んだ。そして図表3-2に示すように多段（2段）櫂船を開発した。ここで軍船は敵船衝突破損用の衝角を持ち、高速突進のため櫂の数が商船に比べ多い。

●フェニキアは青銅の精錬技術や透明ガラスの生産、高価な紫色染料生産と技術があった。また交易に不可欠の記録を残すための記録用紙パピルスをエジプトから容易に入手でき、また簡易なアルファベットを発明し、地中海交易に必要な道具をすべて備えていたともいえる。

●青銅生産には、銅の生産地キプロス島キティオンに植民市を造り、錫の生産地イギリスのコーンウォルと貿易を行い、波の荒い大西洋航路も開拓したのだ。両地は海路直線距離でキプロス～カディス3600㎞、カディス～コーンウォル1600㎞（英仏海峡200㎞）の合計5200㎞。この時代、大洋や夜間航行は困難で、目視が可能な沿岸航行で、夜は泊地に泊まらざるを得なかった。したがって実際の航走距離は5200㎞を遥かに上回る。さらに季節風を考慮して航行時期を選択しなければならなく、年1回の航行であった。ちなみに「カエサルがドーバー海峡を渡った時から大英帝国の歴史は始まる」と言ったチャーチルの言葉がある。カエサルの渡海は、BC55年で、英仏海峡を約30㎞。このフェニキアの航海術は驚嘆すべきものであり、そのフロンティア・スピリット＝莫大な利益がグローバル化の礎を創ったとも言えるのである。

●フェニキアの代表的植民市を図表3―1に示した。BC12世紀にティルスは、スペイン・カディス（BC1104年）やチュニジア・ウティカ（BC1101年）へ進出。モロッコのタンジール（BC10世紀頃）、さらにカルタゴ（BC814年）へ。ポルトガルのリスボン（BC8世紀）、BC770年にはスペインのマラガ、BC734年シチリアのパレルモ、リビアのレプティス・マグナ（ＢＣ７世紀）等へと勢力を伸ばし、地中海西部および、エジプト以西のアフリカ大陸沿岸部を植民市とした。暗黒時代（ＢＣ12世紀～ＢＣ９世紀）を物ともせず、拡張を続けたのだ。植民市が成長し、母市を追い抜くこともあった。その例が、ポエニ戦争の雄、カルタゴである。ここで以下に母市ティルスと植民都市カディスを紹介する。

✧カディスは北東約70㎞にリオ・ティント鉱山があり、ＢＣ20世紀頃より銅の採掘が行われ、リオ・ティント川を介して、カディスに運び込まれていた。ここでコーンウォルの錫をもとに青銅を製造し、それをカルタゴやシチリア島の植民市に輸出した豊かな都市でもあった。それを示すように1世紀末のローマ時代のカディスからローマ北方の温泉地ヴィカレロへの図表３－３に示す道中土産の銀製カップがある。この間２７５０㎞に

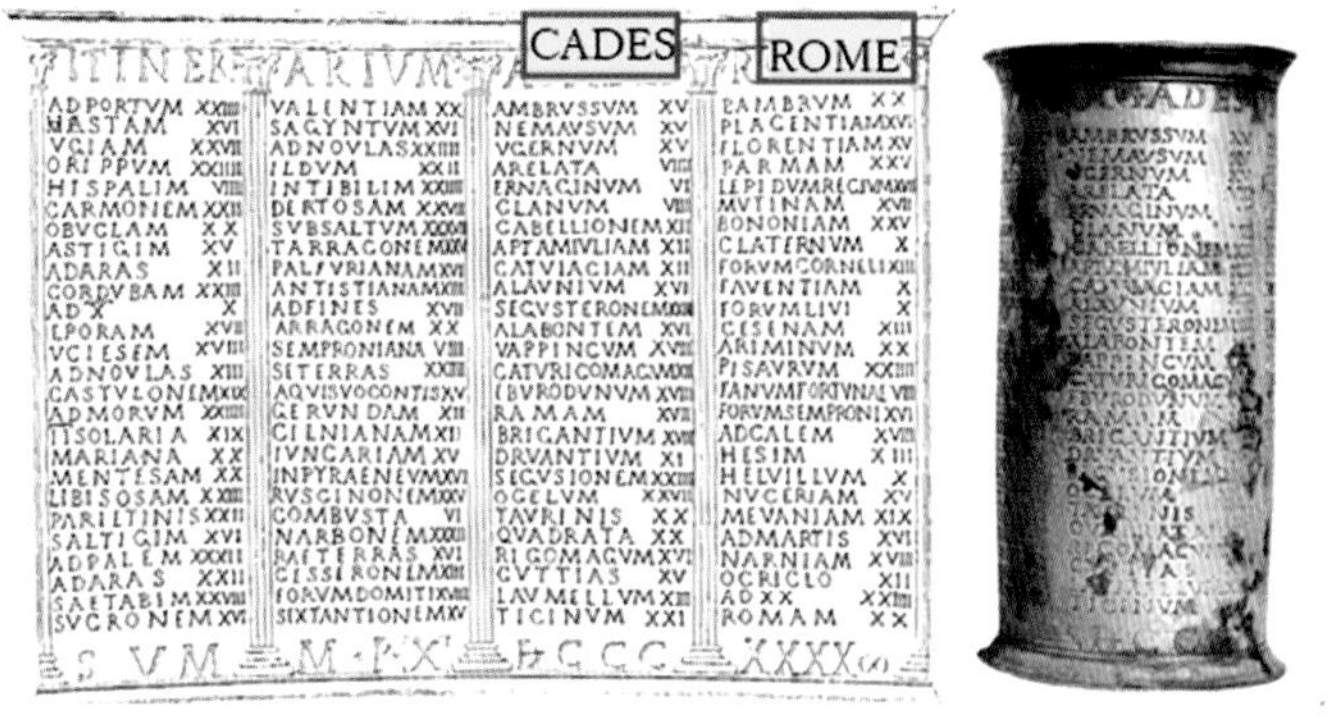

図表3-3　ヴィカレロ・カップ

（拙著『交路からみる古代ローマ繁栄史』71頁）

103カ所の旅宿があり、旅宿間の距離が刻まれている。このような道中土産があるということは、片道103泊の温泉旅行ができる金持ちがカディスに沢山いて、その繁栄を示したものである。ちなみにリオ・ティント鉱山は19世紀まで採掘が行われ、スペイン政府からロスチャイルド一族が譲り受け、その後、世界各地で多くの鉱業・資源分野を手掛ける世界で有数規模を誇る多国籍企業グループとなっている。

✧ティルスはBC2500年頃建設され、BC1000年頃、外敵の侵入に対して、ヒラム王が陸地から1㎞ほど離れた小島に都市を造り、フェニキア都市群の中心都市となった。これは5世紀のゲルマン民族大移動の原因を作ったフン族等の侵攻から、湿地帯へ避難したヴェネツィアと同じ発想である。このためBC586年、新バビロニア王ネブカドネザル2世の遠征軍に包囲され、最終的に服属したが、13年間にわたり抵抗することが可能であった。ちなみにネブカドネザル2世は、2度にわたり古代イスラエル民族の「バビロン捕囚」を行った軍事力に優れた王であった。この経験が仇となりBC332年、マケドニアのアレクサンドロス大王の東征軍に対して、フェニキア都市として唯一ティルスは抵抗したが、東征軍は埋め立てにより、陸続きとしてティルスを大破壊してしまった。

2 ギリシア／マケドニア（アレクサンドリア）の植民市

①ギリシア

暗黒時代（ＢＣ12世紀～ＢＣ９世紀）からアーカイック期（ＢＣ８世紀～ペルシア戦争中ＢＣ４８０年まで）にかけて２度、ギリシアから海外に大量の植民があった。最初はＢＣ９世紀後半以降で、２度目はＢＣ６世紀である。面白いことに、ギリシアの植民都市の母市はアテネやスパルタ市のように海岸から離れた場所にあるが、植民市は海岸近辺にある。母市は海賊を恐れ、植民市は海賊的に建設したためである。

●ギリシアはそれ以前のＢＣ12世紀頃から、ドーリス人や「海の民」に追われるようにイオニア都市への植民を行っていた。本格的な、地中海東部や黒海沿岸部への植民は、暗黒時代の終わり、ＢＣ９世紀後半以降である。特に、イオニアの都市ミレトスは、ＢＣ９世紀後半からＢＣ５世紀にかけて約90の植民都市を建設したと言われている。そのくらい活力あふれるミレトスは、ペルシア戦争の引き金になった「イオニアの反乱」（ＢＣ４９９年～ＢＣ４９３年）を主導したのである。

●ギリシアの植民市は最大都市国家アテネの主導というわけではなかった。和辻哲郎著『風土』に「アテネはローマ水道のような大水道網を造ろうとはしなかった。したがってギリシア諸都市国家はその域を脱して、集権大国家を造る発想はなかった」と記している。このためギリシア植民市は、母市との繋がりは交易・文化面以外それほど強くなく、通商のための海上交易路は別として、母市と緊密性を高めるための陸上交易路や軍事用道路を作るという発想はなかった。彼らはローマ人のように、道路を必要とした陸の民ではなく、大海原を道とした海の民であったのだ。それとともに、征服民を単に奴隷として使用し、古代ローマのように敗者同化政策で有効利用しようとは、考えなかった。それが海洋都市国家群で終わるか、中央集権を基盤とした大帝国を築くかの分かれ目になったのだ。

●図表3－1に示すように、ギリシアの植民は、BC812年の黒海岸シノペが嚆矢であり、BC6世紀頃までが盛んであった。母市はギリシア本土よりもイオニアや、エーゲ海の島嶼からであり、植民先は、地中海中央部より東部が多かった。

✧スパルタはギリシア第一の沃野があり、鎖国政策を国是とし、海外植民の必要性は少なかったが、不平市民のため、BC706年イタリアのターラント（タレントゥム）に植民した。

✧アテネはスパルタに次ぐ広い領土・銀山及び交易で潤い、植民の必要性は少なかった。対ペルシア戦のためのデロス同盟（BC478年～BC405年）の盟主の地位を利用して、ペルシア戦役後のBC570～560年にアテネ市民を同盟都市サラミス等に移住させている。

✧黒海沿岸部・ボスポラス海峡周辺部には、ミレトスがシノペ（BC812年）、トラブソン（トラペスス、756年）、イストロス（BC657年）、ビザンティオン（BC667

年。母市アッティカ北部のメガラ）、オルビア（オデッサ近郊。ＢＣ６５０年。母市ミレトス）、カルケドン（ビザンティオン対岸。母市メガラ）等の植民市を造っている。

✧シチリア島には、ナクソス・タオルミーナ近郊（ＢＣ７３３年。母市エヴィア島のカルキス）、シラクーサ（ＢＣ７３４年。母市コリントス）、メッシーナ（ＢＣ７３０年。母市カルキス）、メガラ・ピュプライア（現在アウグスタ、ＢＣ７２８年。母市アッティカ地方のメガラ）、セリヌス（ＢＣ６４８年。母市メガラ・ピュプライア）、アグリジェント（ＢＣ５８０年。母市アグリジェント西方１００kmのゲラ：ＢＣ６８８年頃、クレタ島・ロドス島植民）等が造られた。

✧イタリア・フランスには、ＢＣ７７５年に母市カルキスがピテクサイ（ナポリ・イスキア島）、クーマエを建設。パエストゥム（ＢＣ７２０年。母市ペロポネソス半島北部のアカイア）、ターラント（ＢＣ７０５年。母市スパルタ）、マルセイユ（ＢＣ６００年。母市フォカイア）。

✧ＢＣ５７０年頃、ナイル川デルタの西端にあるナウクラテスに、ミレトスを始めとしたイオニアのギリシア諸都市が傭兵として植民した。

②アレクサンドロス大王の植民市

アレクサンドロス大王は東方遠征中、征服した各地にギリシア、主にマケドニア人を入植させた都市をアレクサンドリアと名付けた。有名なのはエジプトのアレクサンドリアで、記録に残されているだけでも70カ所あるという。最果てのアレクサンドリアは、現在のタジキスタンのフェルガナ盆地にある「アレクサンドリア・エスハテ」で、東400㎞にはタリム盆地がある。森谷公俊著『アレクサンドロスの征服と神話』140頁に「都市アレクサンドリアの建設は、しばしば大王の東西融合政策の一環として語られるが、実態を見ればそれは全くの的外れである。そこに入植したのはギリシア人傭兵、退役したマケドニア人、地元住民の三種類で、住民にはその土地の戦争捕虜も含まれていた。このうち最も大きな割合を占めたのがギリシア人傭兵である。傭兵はマケドニア人と大王に強い憎しみを抱いており、帝国にとって政治的にも社会的にも危険な存在だった。それゆえ彼らの入植には、不穏分子を僻遠の地に隔離するという狙いがあった」。このため反乱蜂起が数多くあったと言う。

古代ローマも数多くの退役兵を軍団基地周辺の現地女性と結婚させ、居住、植民都市とした。しかし支配の天才ローマ人は敗者同化政策を行ったり、解放奴隷の子供が皇帝になったりして、反乱は比較すると少なかったようである。

5 海賊行為

1 クレタ島ミノス王の海賊退治

ミノス王は、最高神ゼウスとティロス王の娘エウロパの息子と言われている。クレタ島はエーゲ海の入り口の島で、エーゲ海や黒海に航行する船にとって関所的位置にある。ここで海賊行為を行えば多くの獲物が得られた。ミノスはどの時代か、数代にわたったのかよく分からない。

以下に古代から共和政ローマの時代の海賊行為及び海賊退治の状況を紹介する。

●ギリシアのトゥキディデス著『戦史・巻1・4～5』に、「伝説によれば、最古の海軍を組織したのはミノスである。彼は現在ギリシアに属する海のほとんど全域を制覇し、キュクラデス諸島の支配者となった。……もちろん彼は、勢力の及ぶ限りの海域から海賊を追い払い、収益の道を拡大することに努力した。というのは、その昔ギリシア人や、異民族の中でも大陸の沿岸や島嶼に住んでいたものたちは、船で海を渡って、たがいに頻繁に行き来し始めると、海賊行為を働くようになったからである。仲間の首領を指揮者にいただき、彼らは自分の利益や家族たちをやしなう糧を求めて、城壁の守りもなく村落のように散らばったポリスを襲い掠奪をおこなった。彼らはこのような所業に廉恥の心はおろか、むしろこれこそ真の名声をもたらす所以と信じて、ここに生活の主源を求めていた」と記している。

2 地中海での海賊跋扈とポンペイウスによる海賊退治

①海賊の出没する場所とは、どのようなところであろうか。我が国で、海賊が有名な場所は瀬戸内海である。来島水軍や塩飽水軍は、瀬戸内海西部の芸予諸島や、中部の備讃瀬戸海域で海賊行為をした。この海域は多島海で、おにぎり型の島が多く、見張りや船隠しに最適である。

すなわち、海賊が出没する海域は、航行船舶が多いところ、獲物を監視できる岬や島があり、獲物を急潮流の海峡や浅瀬に追い込めるところである。そうすると地中海ではどこであろうか？ ロドス島周辺を始めとしたエーゲ海、シチリア島とイタリア本土の間のメッシーナ海峡、サルジニア島とコルシカ島の間のボニファシオ海峡等は、絶好の場所である。

②ポンペイウスの海賊退治は、ギリシアの時代ではなく、ローマの時代であるが、海賊に対する見方が大きく変わったので紹介する。

BC1世紀前半、同盟市戦争（BC91年～BC88年）や、3次にわたるミトリダテス戦争（BC88年～BC63年）等で戦乱が続き、敗残兵は食うために、海賊や山賊に姿を変えていった。

●海賊は、食糧運搬船を襲い、BC75年にはローマが食糧危機となり、ローマ市民が暴動を起こし、ローマ元老院は、BC73年～BC71年にマルクス・アントニウスにプロコンソル（代理執政官）権限を与えて海賊退治に乗り出したが失敗した。

●次にＢＣ67年、グエナウス・ポンペイウス（大ポンペイウス：ＢＣ１０６年〜ＢＣ48年）が司令官に任じられ、大兵力を率い、地中海全域を13海域に分け、各個撃破で海賊を約３カ月間で一掃したのである。『プルタルコス英雄伝　下』ポンペイウス編に、海賊跋扈の様子を生き生きと記述している。その結果、捕獲した船舶４００隻、撃沈した船舶１３００隻、１万人以上の海賊を殺害し、降伏した海賊は２万人以上に達したという。

●ポンペイウスは海賊退治の役職で、独裁権を獲得した。この独裁権の考え方がカエサルそして帝政ローマにつながったので、海賊が創ったローマ帝国ともいえるのである。

３ アリストテレスとキケロの海賊への見解

①アリストテレスの海賊への見解

ＢＣ４世紀のギリシアの哲学者であり、アレクサンドロス大王の家庭教師でもあったアリストテレスの著作『政治学・第1巻・第八章』の「自然の摂理に則った財産獲得術」に「交易や商売によらないでその食料を獲得する生き方、つまり自然の摂理に則った仕事による生き方をしている人たちを挙げると、遊牧民、海賊、漁師、狩人、農民というところでしょう」と、記している。海賊も漁師、農民と同じように、正業としての位置づけが与えられていたが、山賊は正業ではなかったのだ。

海に乗り出した人々は、海賊や交易商人として故郷（母市）を離れ、移住・植民をした。そのほとんどは原住民に対して暴力的なものであった。アリストテレスとしては、生きていくための植民＝海賊稼業を、正当なものと認めざるを得なかったのではないだろうか。

②キケロの海賊への見解

マルクス・トゥッリウス・キケロ（ＢＣ１０６年〜ＢＣ43年）は、共和政ローマ末期の政治家・弁護士・文筆家・哲学者である。ポンペイウスの海賊退治（ＢＣ67年）があり、ＢＣ44年著作の『義務について・第3巻１０７』に、キケロは「海賊は合法的な敵でなく、人類共同の敵であるから。そして、かかる敵とは共同の誠実も誓いもあるべきではない」と述べ、古代ローマが世界国家として、法、秩序を整備している時代であり、アリストテレスの時代、すなわち「力が正義」を脱却して、法治国家を希求しているのである。

第4編　ペルシア戦争（アケメネス朝ペルシア対ギリシア）の戦略・戦術と兵站施設

ＢＣ４８０年の第2次ギリシア侵攻は、当時世界最大の人口約４９４０万人（ギネスブックより）のアケメネス朝ペルシアと、約２００万人のギリシア都市国家連合の海陸の戦いである。「はじめに」に記したようにヘロドトス著『歴史』によればペルシア軍動員数５２６万人、艦隊数は２００人乗り戦艦・３段櫂船１２０７隻と圧倒的規模であった。上記の戦力を筆者も過大とは思うが、塩野七生氏は『ギリシア人の物語』で「ペルシア軍の出兵20万人強」と記している。５２６万人と20万人では議論がかみ合わないというか、塩野氏の説に従うと、『歴史』の記述内容は「誇大」とも評価されうるのである。さらにギリシア軍の大勝利により、その後のギリシア文明・文化の「華」が開いたわけであるが、戦力が拮抗しての勝利だったとしたら、その「華」の状況はどうだったのだろうか？　以下の疑問について検討した結果を紹介する。

●最初に、ペルシア戦争の概要と出兵規模を説明する。

●次に図表４−２に示すようにペルシアは前後３回の大量遭難で９００隻もの３段櫂船を

失っている。海の状況、船の特性を知っていたら、連続大量遭難がありうるのだろうか？

●従って、3段櫂船の特性と、エーゲ海の風波・潮流状況を紹介する。アテネ市を陸軍で壊滅させたのに、なぜテミストクレースの戦術に乗り、「サラミス海戦」場所におびき出されて、大敗を喫したのか？

●さらに、陸の大国ペルシアが、得意の陸戦で圧倒的戦力差があった「テルモピュライの戦い」以外、なぜ負け続けたのか？

●そして最後に、ペルシア軍の侵攻のための兵站・補給施設等を紹介する。

海のアテネ、陸のスパルタの奮戦でペルシア軍は完敗。雌雄を決した「サラミス海戦」の間、ペルシア王・クセルクセスは負けるとは思わず余裕綽々と、高所に黄金の玉座を据え観戦する程だったが、惨敗で2400km先の首都スーサに逃げ帰ったのである。

ペルシア戦争の主役は、アテネの将軍テミストクレース（生・死亡年の詳細が不明でBC524年から520年頃〜BC459年から455年頃）、ペルシア王クセルクセス（BC486年〜BC465年）である。

ここでペルシア戦争の全体の把握のため、年表と主戦場、風・波・潮流状況を図表4－2・4・10に示す。図表中の①〜⑭の「戦い」の番号は共通である。

[1] ペルシア戦争の概要と出兵規模

ペルシアは、キュロス1世（在位BC550年〜BC529年）がBC550年、4王国（メディア、リュディア、新バビロニア、エジプト第26王朝）に分立していた古代オリエント世界を、エジプトを除き統一した。キュロスの息子カンビュセス2世は、BC525年にエジプトも併合し、次のダレイオス1世（在位BC522年〜BC486年）の時代には、図表4－1に示すようなエーゲ海沿岸からインダス川流域に及ぶ広大な世界帝国となった。

❶ ペルシア戦争とペルシア・ギリシアの国力

BC5世紀の歴史家ヘロドトス著『歴史』によれば、誇大に思えるが、BC480年春のクセルクセス王によるドリスコス（現在のアレクサンドルーポリ）での閲兵時、図表4－2⑦に記すように「海軍船舶：三段櫂船

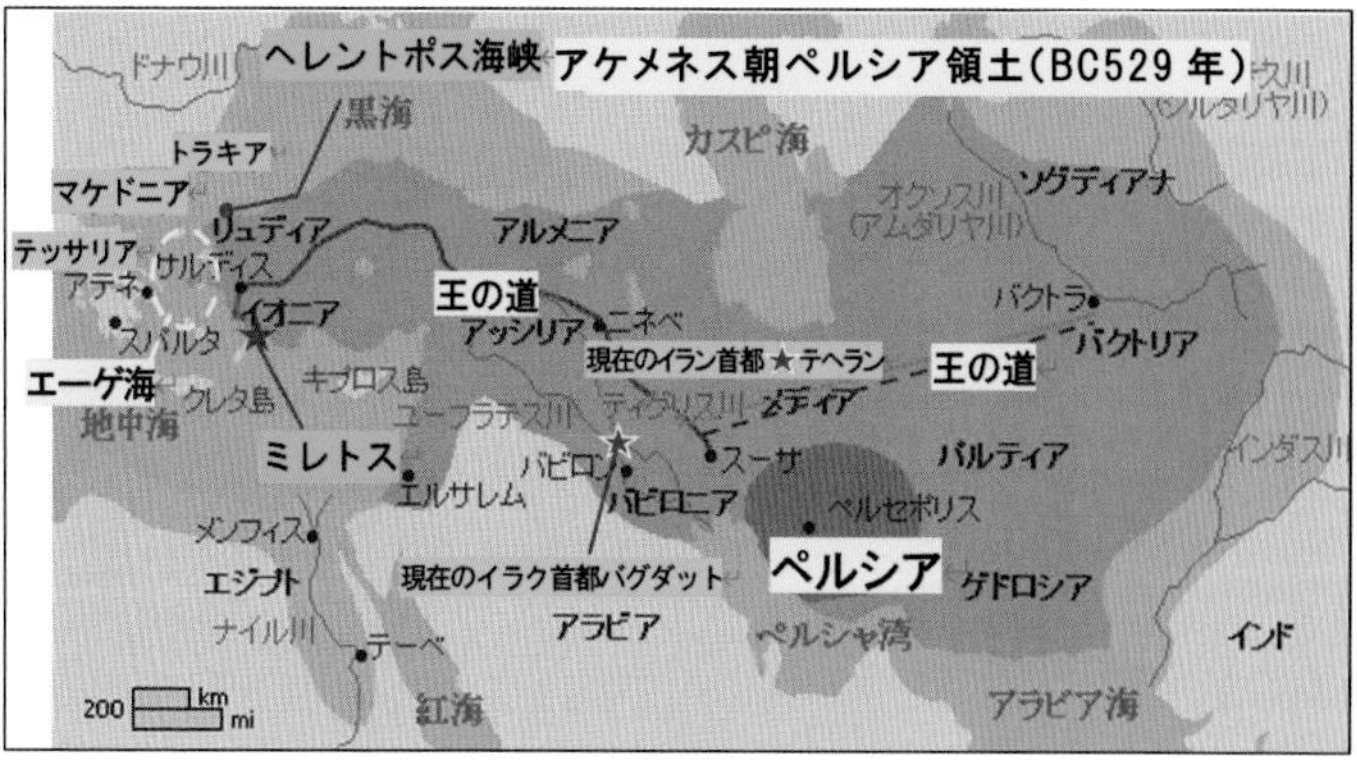

図表4-1　アケメネス朝ペルシアの版図

1207隻（その他の補給用船舶3000隻）。海軍兵員51・8万人。陸軍戦闘兵力264万人。戦闘員以外に212・4万人が配備され、合計兵員数528万人」と、膨大な数を上げている。一方、ギリシアはアテネやスパルタを筆頭とした都市国家連合。国家ギリシアの国名は、1829年独立が承認されるまでなかったのである。そして『歴史』に記されているギリシアの最大兵力は、海軍が図表4－2⑬に示す「サラミス海戦」時の3段櫂船380隻、陸軍が図表4－2⑭に示す「プラタイアの戦い」時のスパルタ・コリントス・アテネ連合軍の11万人である。

ヘロドトスは『歴史・巻8・144』に「我々が等しくみなギリシア人同胞であり、血のつながりをもち言語を同じくし、神々を祀る場所も祭式も共通であるし、生活様式も同じである、アテナイ人がこの同胞を敵に売るようなことは許されることはあるまい。……アテナイ人の1人たりとも生き残っている限りは、我々は断じてクセルクセスと和を講じることはない」と記している。ここではアテナイ人であるが、「テルモピュライの戦い」では、スパルタは国王以下300人の兵士が全滅するまで戦い、ギリシア人の凄さを証明している。本文には『歴史・巻8・144』のように『歴史』からの引用が多数あるので、煩雑を避けるため、『巻8・144』のように書名である『歴史』を省く。

ペルシアの首都スーサとアテネは直線距離で約2400㎞。『巻7・20』に示すように、BC480年の第2次侵攻の4年前からペルシアは準備をはじめ、幅1・2㎞のヘレントポス海峡に2連の舟橋を架け、海の難所アトス岬には延長２㎞の運河が、クセルクセス王により建設された。そしてギリシア諸都市に味方になるよう強要が行われた。兵力・兵站施設から陸軍主・海軍従が決まっていた。

現在のギリシア共和国は面積13・2万㎢と日本の37％しかない。ペルシア従属のイオニア都市国家とヘレントポス海峡で隔てられたトラキア・その西側でアレクサンドロス大王の出身地マケドニア・さらに西側テッサリアは、ペルシアに「土と水（ペルシアの宗教・ゾロアスター教の象徴で、隷属を意味する）」を提供する属国となっていた。これら三つの地域の合計面積は9・5万㎢でギリシア都市国家連合は国土の28％しかない。人口は、２０２１年のギリシアは１０６７万人。トラキア・マケドニア・テッサリアの合計は36％である。

以下にギリシア都市国家連合の人口を推定する。『山川　詳説世界史図録』によればＢＣ４３１年のアテネの人口は31・5万人、市民の家族の人員数は54・5％。スパルタは総数の記載はないが市民家族が6・7％、推定で市民兵8千〜1万人、人口は15万人程度である。ここで市民とは、兵士であり投票権のある成年男子のことである。プラトン著『法律・5巻8〜10』に、国の人口規模について「国家にとって、市民が相互に知り合う以上に大きな善はない。……５０４０の数を保つために植民等を勧める」と記している。それではどの程度のポリスの数があったのか？　よく分からないが１０００以上とも言われている。それやこれらを寄せ集めても、都市国家の人数はアテネ＋スパルタで46万人。その他１０００都市国家×28％×

5000人＝140万人で、200万人足らずではないだろうか？

図表4－3に示すように、ギリシアと非ギリシア都市国家群との境界線／防衛ラインがテッサリア南端であり、そこに激戦地となったテルモピュライやアルテミシオンがある。アテネから約150㎞の距離しかない。

2 ペルシア戦争の経緯

ペルシア戦争は、BC499年〜BC493年の「イオニアの反乱」を援助したアテネとエレトリア（エヴィア島）への懲罰が大義名分で、実際の狙いはペルシアの領土拡大にあった。この反乱の首謀都市国家ミレトスの位置を図表4－1に示した。ミレトスはギリシア悲劇『ミレトス陥落』に謡われ、『巻6・19、20』に記すように、「神殿等は破壊され、男は殺され、女子供は奴隷にされスーサへ護送された」とのことである。ちなみにミレトスは当時人口6万〜7万人の大都市でターレスをはじめとした著名な哲学者を輩出した文化都市で、それが廃墟とされ、他のギリシア都市国家に大きな衝撃を与えた。

この危機に立ち向かったのがアテネの政治家・戦略・戦術家のテミストクレースである。ラウレイオン鉱山の銀を使いアテネに200隻の3段櫂船を建造させ、しょっちゅう喧嘩をしている図表4－14に示す20の都市国家群をまとめ、さらにアテネ市民のほとんどを退避させ、アテネを焼け野原とすることも辞さず、「サラミス海戦」で地の利を踏まえた作戦を立て、圧勝したのである。彼は、味方だけでなく敵クセルクセス王も欺く謀略家で、戦勝後、金権政治家と言われ、またスパルタ王の反乱に加担したとの噂で、BC471年頃「陶片追放」による、死刑を恐れ、諸国を逃げまわった。面白いことにBC465年頃、次のペルシア王アルタクセルクセスに庇護を求めたのだ。王から許され、イオニアの三つの町を与えられ、BC459年から455年頃、病没した。王の外交顧問をしていたと言われていて、最長で10年間くらいペルシア王の庇護を受けていたことになる。敗戦の張本人を庇護するペルシアの余裕というか、面白さである。

ペルシア戦争の概要を把握していただくため、図表4−2に年表を示すと共に、若干の説明をする。ペルシア戦争の勝負を決定づけたのは「サラミス海戦」である。ペルシア軍は「サラミス海戦」の直前に、アテネ近傍のパレロン（現ピレウス）で御前会議を行っていて、図表4−15・16に示すような作戦図をもとに、図上演習を行っているはずである。図を見れば、ペルシア海軍必敗が分かったはずなのに、である。「関ヶ原の戦い」について、司馬遼太郎氏は「後にプロイセン参謀本部次長になったメッケル少佐（在日：明治18年〜21年）を陸軍大学校の教官として招聘した。彼は現地に若き参謀達を連れた旅行を行い、東西両軍の配置図を見て、西軍の勝利と判定した。しかし小早川秀秋の裏切りにより逆転した」という話が有名である。「サラミス海戦」では、前記したように、「アテナイ人の1人たりとも生き残っている限りは」と、裏切りがありえないことを主張している。「サラミス海戦」と「関ヶ原の戦い」は、良い対比なのである。

以下に図表4-2・3に沿って経緯を説明する。BC492、490年の1次侵攻では②に示す3段櫂船300隻が冬の季節風で遭難した「アトス岬沖遭難」と、③の「マラトンの戦い」があった。BC480年の2次侵攻の⑧に示す「マグネシア沖遭難」の約400隻、⑩の「カフィレア海峡遭難」の200隻と季節風で遭難している。10年前の「アトス岬沖遭難」の教訓が生かされていないのである。このような大量遭難の繰り返しがありうるのだろうか？

図表4-2　ペルシア戦争の概要

	年表	戦況（出典）
イオニアの反乱	①BC499年～BC493年	ミレトスを中心としアイオリス・アテネ・イオニア・エレトリア・カリア・キュプロス等がペルシアに対抗。鎮圧される。
第1次ペルシア戦争	②BC492年：マルドニオスの侵攻。「アトス岬沖遭難」イオニアの反乱の懲罰。春出陣。アテネ・エレトリア討伐。	冬季・春季初め、マルドニオス指揮ペルシア艦隊アトス岬沖で冬季の嵐により、**300隻沈没**。2万人の兵士死亡。マケドニア軍に陸戦で苦戦。マルドニオス負傷・解任。ペルシア海軍自滅・敗退（『巻6・43～45』）。出陣の隻数、兵力記述ナシ。

	③BC490年9月：「マラトンの戦い」。	メディア人の将軍とサルディス総督指揮のペルシア艦隊600隻スコイニア湾上陸、陸戦力2・6万人。アテネ・プラタイア軍（1万人）はマラトン南部より侵攻。陸戦で死者数ギリシア軍192人、ペルシア軍6400人で、**ギリシア軍圧勝**（『巻6・96～117』）。
	④BC486年：ダレイオス大王死去。	
第2次ペルシア戦争 アテネ市民退避	⑤BC484年?～BC481年?：アトス岬運河建設。	クセルクセス王建設命令。建設期間3年間（『巻7・22～24』）。
	⑥BC481年：ヘレントポス海峡に2本の舟橋建設・渡橋。	合計674隻の50櫂船・3段櫂船による舟橋建設。大嵐で1回倒壊・再建（『巻7・33～36』）。ペルシア陸軍渡橋に7日間かかる（『巻7・55～56』）。
	⑦BC480年春：ドリスコス（現アレクサンドルーポリ近郊）でペルシア軍閲兵。	クセルクセス王閲兵。総員528万人以上。海軍船舶：3段櫂船1207隻（その他の補給用船舶3000隻。海軍兵員51・8万人。陸軍戦闘兵員264万人）。陸軍主・海軍従の体制を決定（『巻7・87～99／184～186』）。

⑧BC480年8月：「マグネシア沖遭難」。カスタナイア市～セピアス岬停泊中遭難。	ペルシア艦隊、エテジアン（季節風の嵐）で**1207隻のうち3分の1、約400隻難破**。ギリシア軍船、エウリポス海峡カルキス停泊で難を逃れる（『巻7・188～190』）。
⑨BC480年8月：「テルモピュライの戦い」。	ペルシア軍21万に対しスパルタ軍300人＋他ポリス兵4900人が会戦。5日間待機（交渉）後、3日間戦闘。死者スパルタ側1000人、ペルシア側2万人（『巻7・201～224』）。
⑩BC480年8月：「アルテミシオンの海戦」のための挟み撃ち作戦。「カフィレア海峡遭難」。	エヴィア島北端アルテミシオンにギリシア艦隊集結。その対岸のアペタイにペルシア艦隊集結。ペルシア軍200隻で挟み撃ち敢行のためエヴィア島東方を航行。同島南端とアンドロス島北端のカフィレア海峡付近で**200隻程度遭難**（『巻8・1～24』）。
⑪BC480年8月：「アルテミシオンの海戦」。	海戦は3日間行われたが、悪天候のため、ほぼ引き分け（『巻8・1～24』）。
⑫アテネ市民退避。ペルシア軍アテナイ占拠。	市民をトロイゼン・サラミス・アイギナに避難（『巻8・41／52～54』）。

⑬BC480年9月：「サラミス海戦」。	ペルシア軍、パレロンで御前会議の後、海戦。ペルシア艦隊684隻、ギリシア連合艦隊380隻。損害ペルシア200隻以上、ギリシア40隻以上。**ギリシア軍圧勝**（『巻8・60～98』）。
⑭BC479年8月：「プラタイアの戦い」。ペルシア残存勢力とスパルタ・コリントス・アテネ連合軍。	マルドニオス指揮のペルシア軍35万人、スパルタ・コリントス・アテネ連合軍11万人の会戦。戦死者ペルシア20万人、**連合軍143人の圧勝**。マルドニオス戦死（『巻9・1～64』）。

BC480年9月はじめの御前会議で、女海賊と綽名されたアルテミシア1世は「海上において敵（ギリシア）が貴下（ペルシア）の将兵に勝ることは、男子と女子との差ほどもあるからでございます。そもそも殿には海戦を開いて危険を冒される必要がどこにありましょう」と述べている。この忠告に耳を傾けず、クセルクセス王は「サラミス海戦」に突入したのである。

陸戦について記すと、マラソンの故事で有名な③に示す「マラトンの戦い」では、アテネ軍1万人に対して2・6万人のペルシア軍が惨敗。第5編に記す最強のスパルタ軍相手ではなくアテネ軍である。威力偵察といわれている1次侵攻と2次侵攻の間に8年間もあったのに、敗戦の教訓が生かされていない。ペルシアは戦争のやり方を知らない、と言われてもしょうがない。

ＢＣ４８０年８月、防衛ラインとした「陸のテルモピュライ、海のアルテミシオン」がペルシア軍に打ち破られギリシア軍は、アテネ近傍のサラミス海峡を決戦の地と定め南下し、ペルシア軍が追ったのである。

９月下旬の⑬に示す「サラミス海戦」は、ペルシア軍６８４隻ギリシア軍３８０隻の大海戦である。前記したテミストクレースの戦略・戦術によりギリシア軍大勝利。敗戦のクセルクセス王は首都スーサに逃げ帰った。残ったペルシア軍は翌年、⑭に示すマルドニオス指揮の35万人、ギリシア軍11万人の「プラタイアの戦い」で、ギリシア軍が圧勝して２

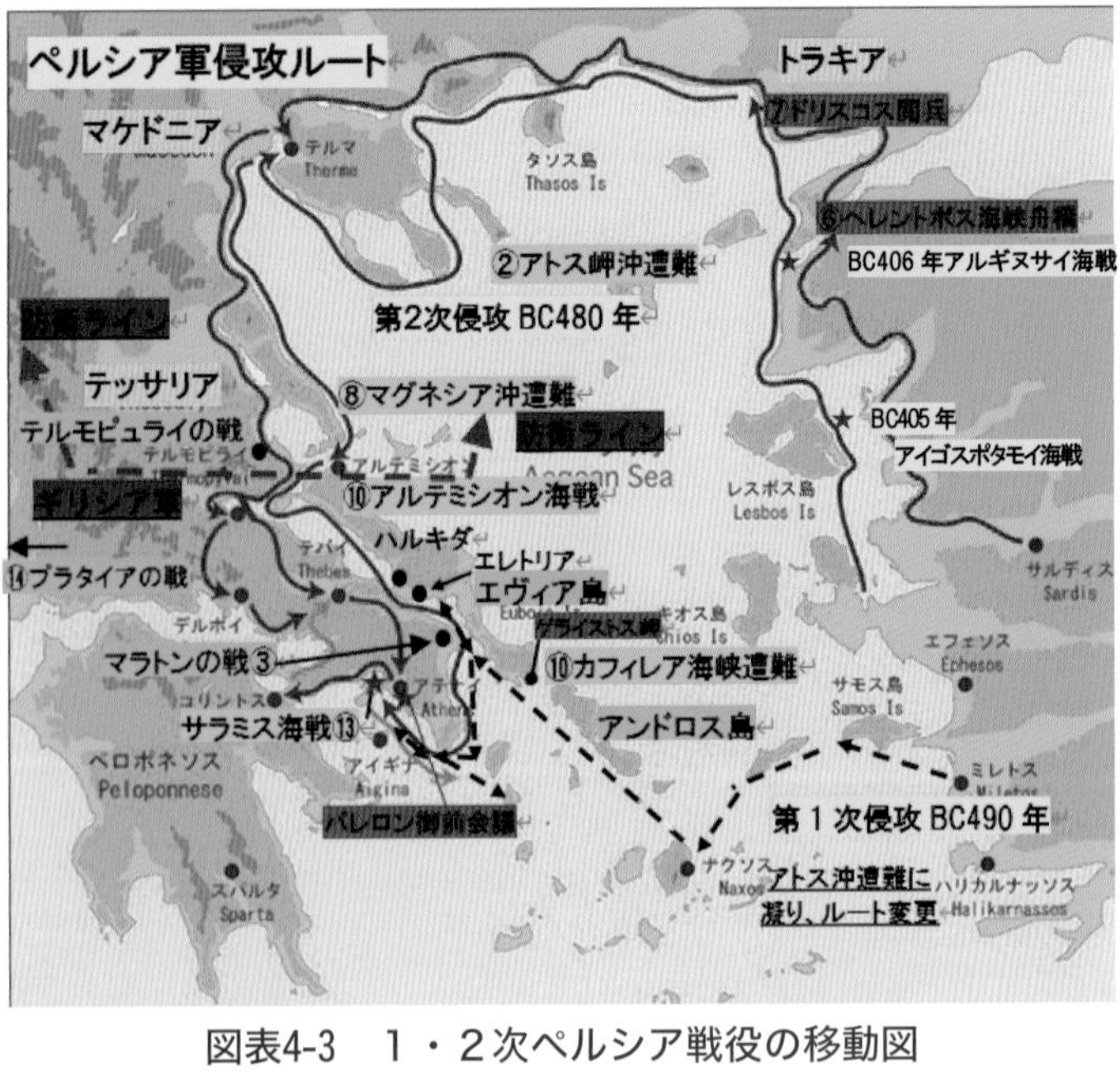

図表4-3　１・２次ペルシア戦役の移動図

次侵攻の幕を閉じた。

3 ペルシアの出兵・兵站能力

上記したような大兵力をペルシアが用意し、アテネまで進軍できたのか？という問題である。過去の戦争事例はどのようであったのだろうか？　これらの評価から、ヘロドトスの記述は誇大妄想では？　との意見が多い。ＢＣ４３１年〜ＢＣ４０４年のペロポネソス戦争でアテネ・スパルタの３段櫂船隻数から判断して、ギリシア軍の３８０隻は妥当と考えられている。したがってペルシア海軍の１２０７隻に異議は見られない。しかし陸軍について、例えば、塩野七生著『ギリシア人の物語1』第３章「侵略者ペルシアに抗して」に「学者たちは、ＢＣ４８０年から４７９年という第２次戦役の間に行われたペルシア軍のすべての行動をもとにして、ペルシア軍の全兵力は20万強、と推測した」と記している。

ここでペルシア軍の20万強の出兵の論点をa両軍の戦闘能力の相対的比較と、b兵站施設の物理的運搬能力の観点から検討した。

a　両軍の戦闘能力の相対的比較

●20万強の全兵力とは、ヘロドトスの記している海軍兵員51・８万人、陸軍兵力２６４万人の合計３１５・８万人の約16分の1。第1次戦役の「マラトンの戦い」で1万人のアテネ・プラタイア軍に対して2・6万人のペルシア軍が惨敗したのだ。「プラタイアの戦い」でギリシア軍は11万人の動員能力があった。したがってペルシア軍が20万人程度の動員で、ギリシア侵攻を企てるとはとても思えないのだが。

●さらに元スパルタ王随行がある。「マラトンの戦い」惨敗の1年後、BC489年に廃位されたスパルタ王デマラトスがペルシアに亡命、2次侵攻にクセルクセス王の相談役として随行している。『巻7・104』に、デマラトスがクセルクセス王に言った言葉に「彼ら（スパルタ兵）は『法』という主君を戴く……この主君が命じますことは常に1つ、すなわちいかなる大軍を迎えても決して敵に後ろを見せることを許さず、あくまで己の部署に踏み止まって敵を制するか、自ら打たれるか、せよ」がある。スパルタ人の戦闘能力の高さとともに、ギリシア諸ポリスの出兵能力も教えているはずである。ギリシアの動員能力と同等の20万人程度の出兵では勝てるわけがない。

●また兵力20万人超とすると、ペルシアの海軍兵51・8万人の2・5分の1となる。陸の王国ペルシアの看板を下ろさなければならないのでは？

b　兵站施設の物理的運搬能力

●下記4 2に示すように、何のためにヘレントポス海峡に2連の舟橋を、2回も架けたのであろうか？　ペルシア軍は建設に674隻の50櫂船・3段櫂船を使用している。それが嵐で流失し、再利用の程度は分からないが再建。したがって舟橋の人員移動能力に大きな期待を持っていたのである。

●ペルシア海軍の３段櫂船は１２０７隻その他補給用船舶３０００隻とある。20万強の人員を３段櫂船で運搬したらどうなるのか？　２００人乗りの３段櫂船の櫂夫を1段のみとしたら、（２００－１７０／３）≒１４３人／隻の人員が運搬できる。１２０７隻とすると、１回の往復で17・３万人運搬可能である。したがって１・２回弱の往復で十分である。両側の接岸設備等の考慮はしてないが、１日で20万強の人員を運搬できるのである。このような計算を、当然ペルシア軍はしているはずであり、20万強なら舟橋を建設するわけがないのだ。

筆者もペルシア軍総兵員数５２８万人は、過大と思うのだが。問題点を整理すると以下の通りである。


✧当時世界最大の国ペルシアは５２８万人の動員が可能であったのか？

✧海軍兵を除いた４７６・２万人の人員の陸上行軍が可能だったのか？

✧ヘロドトスの記す戦力が誇大だと思う論拠として、過去の戦争の実績はどうだったのか？

✧ペルシア軍の動員兵力の推定

①528万人の動員が可能であったのか？

ギネスブックの記録によれば、BC480年頃の世界人口は、1・124億人。ペルシアはその44％の人口で4940万人と記している。スパルタとアテネの人口は、それぞれ15万人と32万人程度と言われている。動員兵力は「プラタイアの戦い」の時のスパルタ4・5万人（30％）、「サラミス海戦」の時のアテネ4万人（13％）。ペルシアは領国の隅々まで舗装道路「王の道」が整備されていたので、質の問題は別にして、4940万人×13％＝642万人程度の兵士の供出は、数字上可能と推定できる。

②海軍兵を除いた476・2万人の人員の陸上行進が可能だったのか？

ペルシア軍は開戦（BC480年）の3年前から、ヘレントポス海峡の舟橋、アトス岬の運河を建設し、侵攻路にある都市を強要し、食料の備蓄をしていた。前記したように、侵攻路上のトラキア・マケドニア・テッサリアに「土と水」の提供を求め応諾させている。すなわちギリシア軍が生命線とした「テルモピュライ・アルテミシオン線」の北方はペルシア軍の版図。陸路でいえば、テルモピュライまでは糧食の蓄えがあり、容易に侵攻できた。さらに侵攻は、大麦の収穫が終わり、乾季の5月頃より始められているのである。

図表4－4に示すように、テルモピュライからアテネの距離は約150㎞。その途中にアテネの北西約50㎞地点に標高78ｍの自然湖Yliki湖を望むテバイがある。この湖は1958年以

来、アテネ周辺の飲料水の供給源となり、標高が高いので、自然流下でアテネまで給水も可能である。ペルシア軍は古代ローマ人同様抜群の建設技術力があったので、水路建設は容易であろう。同様に標高55ｍのLimne Paralimni湖、コパイス湖等があり幹線道路から遠くないので、給水は十分可能であった。

　都市国家テバイとアテネは仲が悪く、たびたび戦争をしている。「テルモピュライの戦い」では、テバイは渋々400人の兵士を供出したが、さっさと撤退。『巻7・233』に「自分たちは元々ペルシア方で、ペルシア王に『土と水』を献ずるには他に先駆けした国の一つであったが、ままならぬ事情に強いられてテルモピュライに出陣した」と、撤退

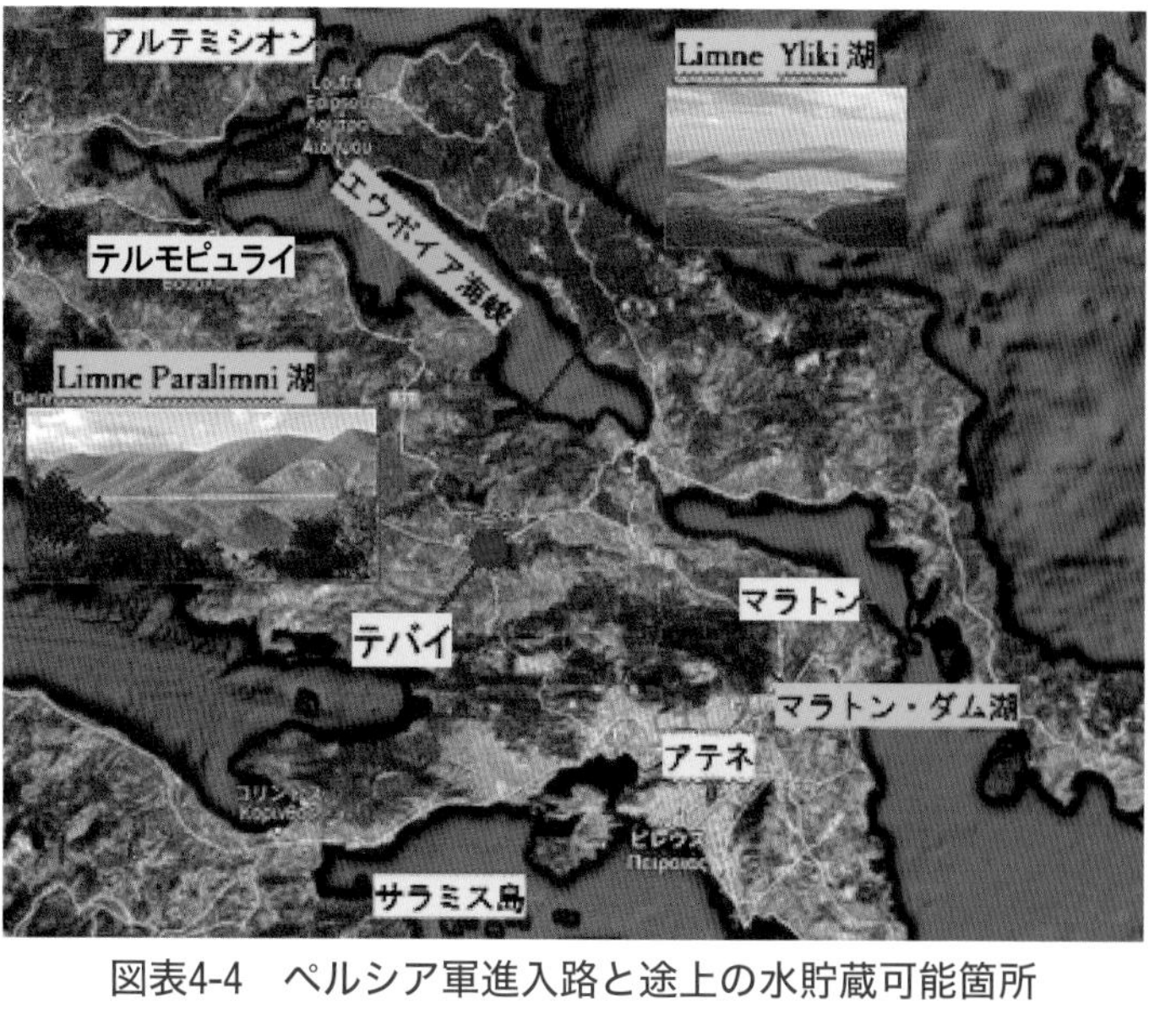

図表4-4　ペルシア軍進入路と途上の水貯蔵可能箇所

の言い訳を記している。さらに「プラタイアの戦い」前に、『巻9・2』に「テバイ人はマルドニオスをその地に引き留めようとし、陣営を構えることにはここより好適な場所はないと進言」と記している。したがってペルシア軍は、水・糧食の提供は得られたはずである。

元々、ギリシア国内は道路が整備されているので、476・2万人の人員の侵攻は技術的に問題なかった。

③ヘロドトスの記す戦力が誇大だと思う論拠として、過去の戦争の実績はどうだったのか？

下記に示す大規模行軍、会戦、海戦の事例から考えると、第2次戦役のペルシア軍動員数528万人、3段櫂船数1207隻は圧倒的規模である。前記のように動員・行軍等は可能との推定ができるが、合理的に考えてどの程度動員したのか？

●**大規模行軍**：1812年のナポレオンの大陸軍77万人によるモスクワ侵攻がある。パリ〜モスクワの距離約2500㎞。この戦いで大陸軍は、半数が死亡した。

●**大規模会戦**：BC331年の「ガウガメラの戦い」：アレクサンドロス大王軍4・7万人とペルシア軍総勢100万人と伝わるが実数は総勢20万人から25万人程度。1600年の「関ヶ原の戦い」：西軍8万人以上、東軍7・4万人〜10・4万人。

●**大規模海戦**：1281年に博多湾周辺での「弘安の役」。蒙古勢は、総数14万人〜15・

７万人。軍船４４００艘と言われている。台風等もあり日本軍の圧勝。

④ペルシア軍の動員兵力の推定

●「マラトンの戦い」では、アテネ軍重装歩兵1万に対してペルシア軍軽装歩兵２・６万人で惨敗。４～５倍の兵力が必要との教訓を得ているのでは？　ギリシア連合軍の可能動員兵力は20万人くらい。そうするとペルシア陸軍は80万人程度の動員をしなければ、勝てる見込みがないのでは？

●ペルシア陸軍動員兵力を80万人と仮定し、比例計算で海軍兵を計算すると80／２６４×51・８＝15・７万人。全兵力は80＋15・７＝95・７万人。１００万人弱となる。艦艇数は比例計算とすると１２０７×80／２６４＝３６６隻。

この**１００万人の算定は如何であろうか？**　しかしこの仮定が正しいかどうか分からないので、本文で使用する兵力は『歴史』に準拠する。

２ 海　戦

❶ ３回の遭難で、約９００隻もの艦艇をなぜ失ったのか？

再記するが、ペルシア水軍は、図表４−２・３に示すように第1次戦役（ＢＣ４９２年）に、アトス岬沖で300隻の艦船の喪失。第2次戦役（BC480年）ではエヴィア島の北端に近いマグネシア地方のカスタナイア市沖～セピアス岬沖で400隻、続いてエヴィア島南端とアンドロス島のカフィレア海峡で200隻が季節風（エテジアン）の風波により遭難した。これらは3段櫂船で、合計900隻にも上るのである。一方、ギリシア海軍の遭難は記されておらず、あっても少なかったのであろう。ペルシアの一人相撲であったのだ。

エーゲ海は瀬戸内海同様に多島海であり、急潮流箇所がある。アトス半島沖やエヴィア島南・北岬沖、さらにサラミス海峡は潮流があり、島と島の間の海峡では増速され、急流となることがある。図表4－8に示すように潮流等に乗ってしまうと、すなわち対水速度（抵抗）が無いと、船の舵が効かず、船首を強風に向け、転倒を回避することが困難である。それとともに、強風下で急速に帆を下ろすことができず、まともに横方向の風波を受け、横転したのである。

①第1次戦役・マルドニオスの侵攻時のアトス岬沖遭難

BC492年のアトス岬沖遭難状況を示す。『巻6・44』に「アトス沖を航行中、施す術もないほどの猛烈な北風が激しく吹き付け、艦船多数がアトス岬に打ち当てられた。……艦艇約300隻が破壊され、人員の喪失は2万人を超えたという。……凍死したもの」と記している。

アトス山は、ギリシア北東部・エーゲ海に突き出したアトス半島の先端に聳える標高

２０３３ｍの山で、周辺はギリシア正教会の聖地となっている。アトス岬はそれにふさわしい厳しい自然があり、**図表４－10②**に示すように、岬先端ではペルシア艦隊の西行進行と同方向に潮流が流れている。北東～北西方向（主に北方向）の冬季の強風が吹き、その風波が西行**（風に対して直角方向）の船の横腹方向に襲い、横転した**のであろう。いずれにしろ風の強い時期の航行をしなくとも、よかったのではないだろうか。

②第２次戦役でのマグネシア地方沖での遭難

ペルシア水軍はアテネに向かう途上、ＢＣ４８０年８月『巻７・１８８～１９０』に示すように、「カスタナイア市のセピアス岬の中間に横たわる海浜に達すると、先陣の船は陸地に繋留し、これに続く他の船は錨を下して碇泊した。海岸線があまり長くないため、艦艇は船首を高く沖に向け、８列を成して碇泊……夜が明けるとそれまで快晴で風もなかった空模様が変わり、海は湧き立ち、激しい嵐と、このあたりの住民たちが『ヘレントポス風（エテジアン）』と称している猛烈な東風がペルシア艦隊を襲った。……。この遭難においてペルシア軍は、最小限に見積もって４００隻を喪失」と記している。

ここで**マグネシア東側は遮蔽物がない広い海面、ということがポイントである**。したがって「ヘレントポス風」が吹けば大波が起こり、船首を風に向けても、海岸からの色々な方向の返り波があり、碇泊した艦艇同士がぶつかり合い、損傷したのである。それを知っているギリシア艦隊は、エヴィア島の西側、すなわち風影となるエウリポス海峡に避難した。現地を知ったギリシア軍の賢い選択である。このペルシア海軍の遭難は、「テルモピュライの戦い」とほぼ同時期であった。

③第2次戦役でのエヴィア島とアンドロス島間のカフィレア海峡での遭難

『巻8・6〜7』に「ペルシア艦隊は午後遅く（図表4−5に示す）アペタイに入港すると、少数のギリシア軍船がアルテミシオン海域に待ち構えていた。……ペルシア軍は全艦隊の中から200隻を選抜し、……エウボイアのカペレウス岬からゲライストス付近（カフィレア海峡）を迂回し、エウリポス海峡に達することができるように、……出航させたのである。この方面に到達した部隊がギリシア軍の退路を遮断するとともに、主力は正面から敵に迫って、ギリシア艦隊を補足せんという作戦であった」。

『巻8・13〜14』に「この部隊が航行してエウボイア

図表4-5　「マグネシア沖遭難」、「アルテミシオンの海戦」の位置図

の『凹み』のあたりにさしかかった時、暴風と豪雨に襲われ、風に流され行方も知らず、漂ううちに岩礁に乗り上げてしまった。……こうして右の部隊はエウボイアの『凹み』の辺りで全滅した」と記している。『歴史・訳注』に「エウボイア島南端ゲライストス岬から……中央部のエレトリアあたりまで暗礁が多く、航海者には難所として知られている」と記している。

カフィレア海峡は南西向きの**潮流が増速されるとともに、**エヴィア島南端の１３９８ｍのオーヒ山、アンドロス島には９９７ｍのプロフィティス・イリアス山が聳え、この間で**エテジアンの風が増速され、大きな風波が発生し、ペルシア艦隊は遭難した**のであろう。「凹み」箇所はオーセ山の風陰であり、エテジアンによる風波に遭難は考えづらい。すでに岬箇所で風波の影響を受け避難中に暗礁で遭難したのではないだろうか？　カフィレア海峡は、現在でも船舶遭難が頻発する海の難所である。

２ ペルシア艦艇の遭難原因：その１　高速性重視で横方向安定性の悪い３段櫂船

３段櫂船は図表４-６・９に示すように、海戦時に船首の青銅製の衝角で敵船横腹を突く、あるいは敵船と並行し敵船の櫂を衝角でなぎ倒す戦法をとるために、高速航走が必要である。船幅を狭くするために櫂座を３層とし、さらに指揮官等は屋根の上に位置させて、高速航走性を得た。ギリシア海軍の復元３段櫂船「オリンピアス号」は全長36・９ｍ、全幅５・５ｍ、高さ３・４ｍ、喫水０・９ｍ、風の受圧高・約２・５ｍ、船体重量35トン、１７０名の櫂員と重装歩兵・帆操作員・司令官等30名が搭乗している。一方、比較のために江戸時代北前船として活躍した千石船は、図表4−7に示すように、長さ約28m、幅は約8m、高さは約2・5mくらいである。ちなみに、J・G・ランデルズ著『古代のエンジニアリング』第6章に「船体の長さと船幅の比は、軍船は10対1。帆走の商船は4対1」と記している。商船は高速航走性を犠牲にして、横安定性と荷物搭載性を向上させている。したがって両船の安定性（船長／船幅）の差は「オリンピアス号」は36・9／5・5＝6・7。一方、千石船は28／8＝3・5であり、差は歴然である。それでも奥村正二著『火縄銃から黒船まで』に「江戸時代の海難事故数は、商船だけについて見ても毎年1千件を越えたと推定されている。海難事件の量と質、両面から見て、世界に類例のないことである」との記述がある。この商船は千石船と比定されるので、決して安定性が高い船ではなかった。

　したがって3段櫂船は高速航走性のみを重視しているため、安定性が悪く、悪天候では転覆の可能性が高い。これが3回

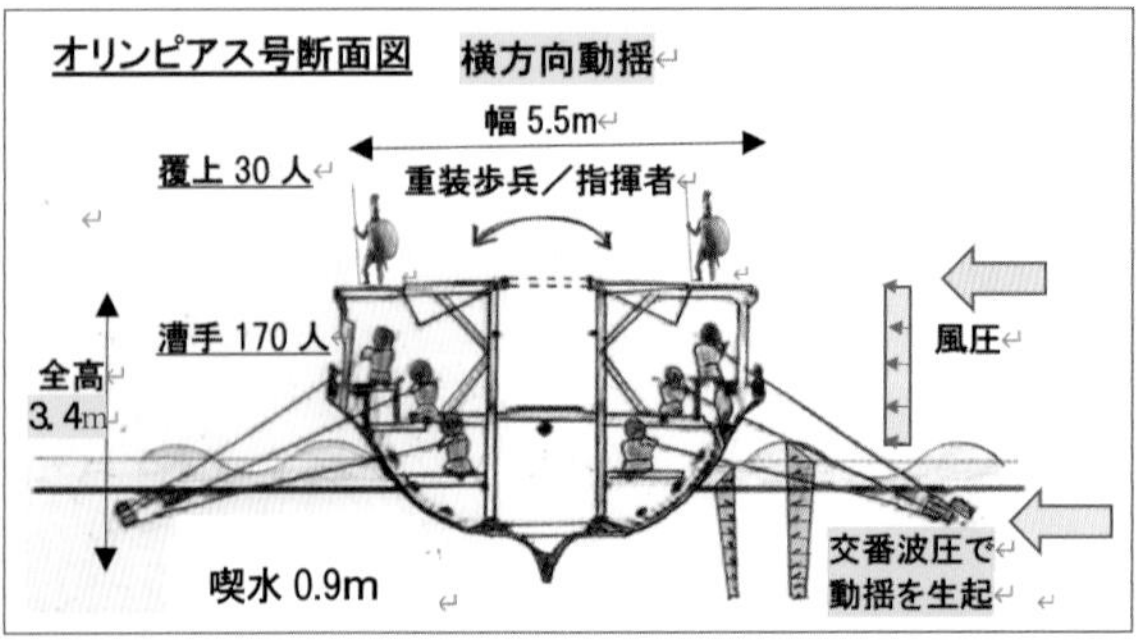

図表4-6　ギリシアの復元３段櫂船「オリンピアス号」

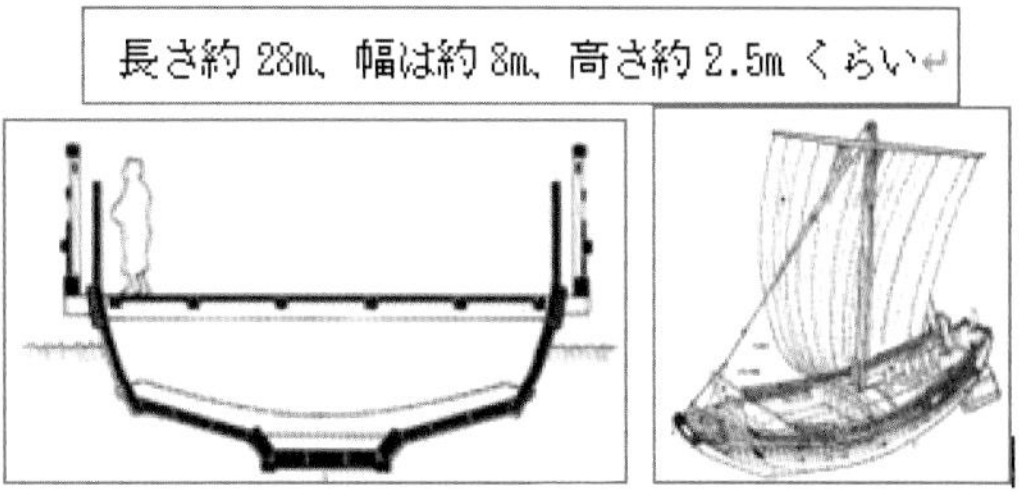

図表4-7　千石船模式図

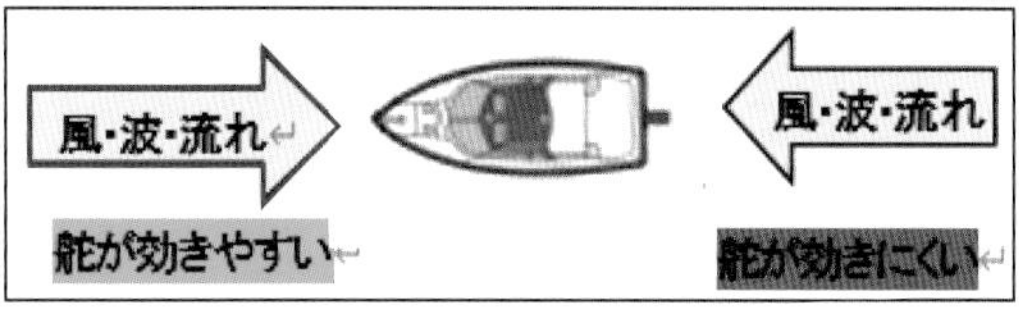

図表4-8　「船の進行方向と風・波・外力の方向」による舵の効き方

出典：リブレボート免許教室閲覧用学科教本『２級小型船舶操縦士免許国家試験について』（13頁）「舵効き」。「連れ潮：対水速度が遅い」の場合、舵が効きにくい。

図表4-9　潮流と船の進行方向が同じで、直角に波風を受ける場合の転倒と、進行方向に対して直角に敵３段櫂船への衝角での突入

も大量遭難を引き起こした要因である。

ちなみに安定性の悪い3段櫂船の仕様は、第2次ポエニ戦争（BC264年〜BC241年）でのローマ軍の歩兵乗り移り用クレーン式桟橋（カラス）や大型投石機の搭載により、高速性より安定性を要求されるようになり、1段櫂船となっていった。

3 遭難原因：その2　ペルシア海軍は、エーゲ海の風・波・潮流の状況を知っていたのか？

エーゲ海は風車が多く見られるように、風が強い。図表4-10に示すように、我が国の冬の季節風のような強風の①エテジアンが吹く。エーゲ海と新潟の風の状況を比較した図表4-11によれば、12〜3月以外はエーゲ海の方が新潟より風が強い。そして島々の中にはエヴィア島1743m、サモトラキ島1600m、サモス島1433m等に高峰があるので、気象変化が厳しい。エーゲ海は南に温暖な地中海、北に比較的寒冷な黒海を控え、この間で②潮流が発生する。さらにアテネを含むペロポネソス半島とその周辺海域は、夏季昼間は高温になり、上昇・下降気流による定期的な③海風・陸風が発生する。これらの外力がペルシア・ギリシア船艇にどのような影響を与えたのかを以下に示す。これら①②③の流れは、ペルシア艦隊の海戦場所のサラミス海峡からエーゲ海への逃避を妨げた。すなわち「袋のネズミ状況」にしたのである。以下にこの3種類の流れ（外力）について説明する。

①エテジアン

●エテジアンとは、エーゲ海沿岸地域で夏季（5月中旬から9月中旬）に吹く乾燥した強い北向きの季節風である。快晴でも吹き荒れる場合が多く、船乗りにとっては危険な風として知られていた。**図表４－10**に示すように夏になると、バルカン半島やヨーロッパ中部に高気圧、アナトリア半島に低気圧が発生し易くなる。これは日本の冬型の西高東低の配置と似ている。高気圧と低気圧の間では強風が吹き、地表付近では、高気圧からは時計回りに風が吹き出し、低気圧には反時計回りに風が吹き込む。一般に、エテジアンは北から流れるが、北西や北東から流れて来ることもある。さらにエーゲ海の何十もの島や山・岬に風が当たり、その向きが変わったり増減速したりする。

●アリストテレス著『気象論・第5章』に「7月の終わりから吹く強い北風。……昼間に吹いて夜には吹かない」と記し、エテジアンの終わりの季節は明記していない。ということは、夜間は影響がなく、夏季を外せばエテジアンの被害は回避できるのである。アリストテレスの著作は戦争より100年以上後だが、エーゲ海では有名な現象として、ペルシア戦争時には知られていたのであろう。ちなみにペルシア艦隊が遭難したのは、冬季・春季の初めと8月頃である。

図表４－10②・⑧・⑩から分かるように、ペルシア艦隊が大量遭難をした「アトス岬沖」、「マグネシア沖」と「カフィレア海峡」は**艦隊の進行方向とエテジアンの風波の方向がほぼ直角**

であり、**横転したのである。**このことをペルシア海軍は知らなかったのか、甘く見たのではないだろうか？

●Yachting.com「ギリシャの『メルテミ』：敵か味方か？」によれば「エテジアンの風は最大で約14～21m／s程度に達する。24m／sを超え、**島と島の間の海峡部では時速100km（28m／s）以上にもなる」**と記している。**大量遭難をした「カフィレア海峡」はこの条件が当てはまる。**

●エテジアンの強風で、どの程度の波浪が発生するのか知り

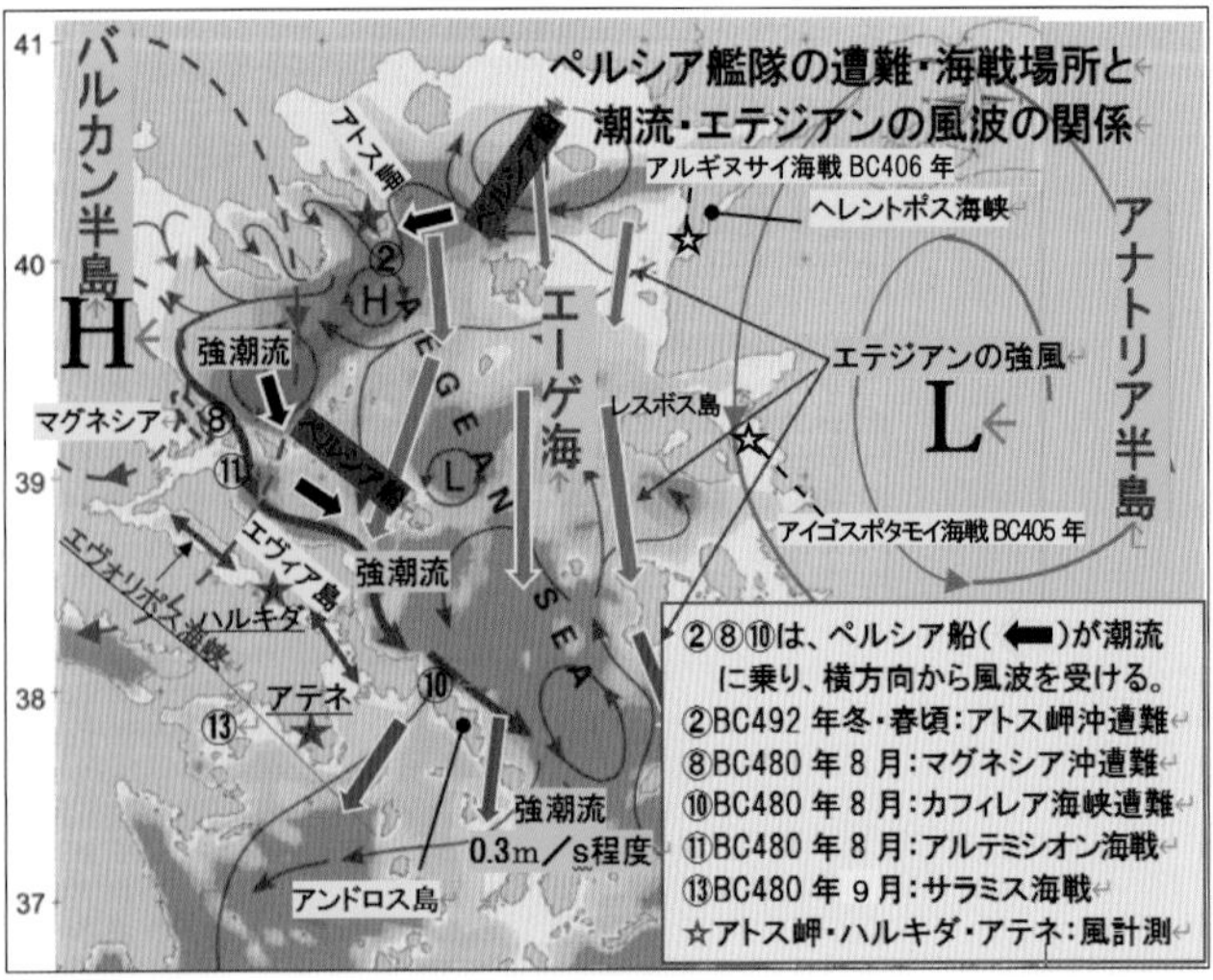

図表4-10 エーゲ海の上層潮流（出典：Aegean Surface Circulation from a Satellite "A schematic of the general circulation of the Aegean as gleaned from the drifter trajectories."）とエテジアンの風向（出典：Summer wind in the Aegean sea: https://www.kavas.com/blog/the-meltemi-wind.html）の合成図

たいところだ。ペルシア艦隊が遭難したエヴィア島東方は、アナトリア半島まで約２００㎞、島等の遮蔽物が殆どない開けた海面であり、風が吹くと大きな波が発生する。『測候時報78・５』（２０１１）高野洋雄著「有義波法による波浪推算」によれば、吹送距離（陸地からの距離）２００㎞・風速10ｍ／ｓで有義波高（測定時間中の大波で３分の１番目に大きい波高）２・３ｍ、周期約６秒の大波が発生する。有義波高に対して最大波高は２倍程度となる。すなわち波の谷から頂の高さは４・６ｍにも達するのだ。風速が６ｍ／ｓの場合は最大波高２ｍ、周期４秒である。３段櫂船「オリンピアス号」では、舷側の高さは２・５ｍ。したがって風速６ｍ／ｓ級のエテジアンに襲われると、浸水・横転の恐れがある。

●では実際に大量遭難を起こした場所でどの程度の風が吹くのか？　大量遭難をした「アトス岬沖」、「マグネシア沖」と「カフィレア海峡」の風の傾向を示す地点として《アトス岬》・《ハルキダ市》を、「サラミス海戦」として《アテネ市》を選定し、さらに参考として《新潟空港》の経年変化を図表４－11に示す。ここで風速は、地上10ｍでの10分間平均風速を「平均風速」と呼び、「最大風速」は「平均風速の最大値」である。「瞬間風速」は計測３秒間で、その最大値を「最大瞬間風速」と呼ぶ。「平均風速」と「最大瞬間風速」は１・５～２・０倍が一般的だが、４倍に達することもある。

図表４－11から：

✧「アトス岬沖遭難」はＢＣ４９２年。『歴史』に遭難者は凍死と記しているので、冬季と想定できる。《アトス岬》の12～3月は平均風速4・5m／s、瞬間最大風速は9m／s程度の北西風～北東風が吹く。

✧「マグネシア沖遭難」及び「カフィレア海峡遭難」は、BC480年8月。両地を示すと想定できる《ハルキダ市》の風速記録は、エテジアンの最盛期の8月には4・1m／sで、7月・9月に比べて速い。

✧BC480年9月下旬の「サラミス海戦」場所に近い《アテネ市》は、エテジアン風は収まるが、平均4・1m／sの風が吹く。

✧比較対象とした《新潟空港》は、1月に平均風速5・7m／sを記録するが、アトス岬・ハルキダ・アテネの記録と比較すると、冬季と早春季の11月～3月以外の季節は新潟の方が風は穏やかである。

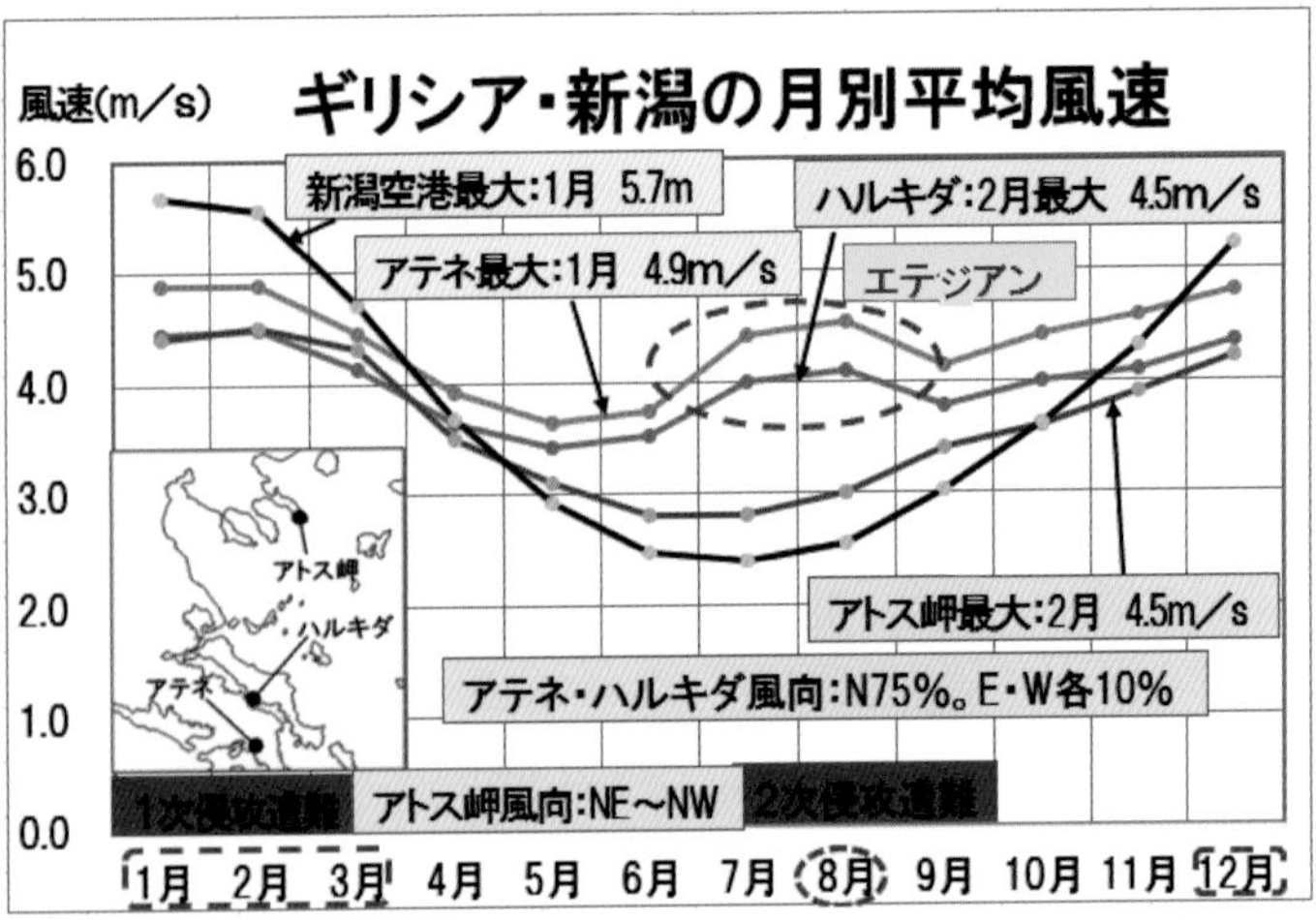

図表4-11　エーゲ海周辺の地点と新潟の月別平均風速

（出典：Climate and Average Weather Year Round in Chalkída Greece等）

江戸時代盛んであった千石船を主体とした北前船は、５月〜８月頃日本海を航行。繰り返すが、千石船は３段櫂船よりはるかに安定性が良い。

②潮流

地中海は一年中暑いか、穏やかな気候なので、水分が蒸発し易い。この結果、海水位が下がるので、潮流は、図表４－10に示すように、上層には大西洋や黒海から（エーゲ海において南向き）水が流入する。逆に、水深が深くなり、塩分が濃くなると、海水が大西洋や黒海に流れ込む。そのため表層海流は大西洋と黒海から地中海へ、深層海流は逆に流れる。これが日本列島における親潮・黒潮のような恒常流となる。ちなみに黒潮は偏西風や貿易風により引き起こされる潮流で、２m／s程度の急流箇所もある。エヴィア島東岸では最大潮流０・３m／s程度であり黒潮に比較して遅い。

一方、エーゲ海は多島海で、潮汐によりエヴィア島と本土との間のエウリポス海峡は、最大３・７m／sの両方向の潮流が流れる海の難所となっている。ちなみに大阪湾と播磨灘に挟まれ、淡路島のある明石海峡・鳴門海峡は５m／sにもなる急潮流となっている。地形による増幅効果が大きいのである。したがって図表４－15に示す海戦場所のサラミス海峡のキュノスラ岬とサラミス半島で海峡は大きく流路を狭められ、潮流は増速される。

③海風・陸風

海風・陸風は、季節風や潮流のように広い範囲のものではなく、局所的な現象である。したがって当該地域に熟知した者しか予測できない。「サラミス海戦」の行われたサロニコス湾・サラミス海峡は、ペロポネソス半島やアッティカの陸地とエーゲ海に挟まれた狭い海域である。『プルターク英雄伝・テミストクレース編・14』に「テミストクレースは時期のみならず場所もよく見極めていたらしく、爽やかな風が海から吹き、海峡のところで波が立ついつもの時刻が来るまでは、自分の軍艦をペルシアの軍艦に向かって進めないように用心した。この風は浅くて低いギリシアの軍艦には害を與なかったが、艫が盛り上がって甲板が高く重いペルシアの船が進もうとする時に吹き付けて外らし、脇腹を向けさせたところへ激しく攻め寄せたギリシア人」と記している。

図表4－12は、サラミス海峡の海風・陸風状況である。陸部の昼間温度上昇による上昇気流、夜間の冷却による下降気流が原因となり「陸と海の間の気流の水平移動で、昼間は海から陸方向に比較的強く、夜間は逆に微風が吹く」となる。テミストクレースはそれを知っていて、突撃の時間（AM10時）をギリシア艦隊に指示していたのである。『風の科学辞典』によれば、朝凪ぎは日の出後2時間程度の風の吹かない静かな時」とあり、7時頃日の出であるので、9時までは凪時間。10時に海戦場所到着は素晴らしい判断である。

「サラミス海戦」は古代ギリシア、そしてヨーロッパの発展に重大転機となった判断であり、それが事実かどうか、ギリシアの学者は熱心に調査した。その一つにC. Zerefos等「The ancient Greeks took advantage of the weather conditions in the naval battle of Salamis」の論文が発表されている。その結果を図表4－12に示す。9月の午前10時以降、海風がエーゲ海からイストミア方向に吹くのである。

エテジアン風、陸風・海風、潮流を勘案したテミストクレースの「ジャスト・イン・タイム」の戦術は、驚くほど科学的であり、それに従ったギリシア艦艇の動きが、この海戦の死命を制したのである。

4 遭難原因：その3　ペルシア海軍は、現地の気象海象状況に疎い国々出身

● ペルシア艦艇は図表4－13に示すように、

Zerefos著論文に「夜間に吹く北西風（エテジアン）と、午前10時以降に上昇する海風が組合わさり『風のはさみ』が形成され、時間がたつにつれ、ペルシア艦隊はサラミス島に閉じ込められた」と記述。

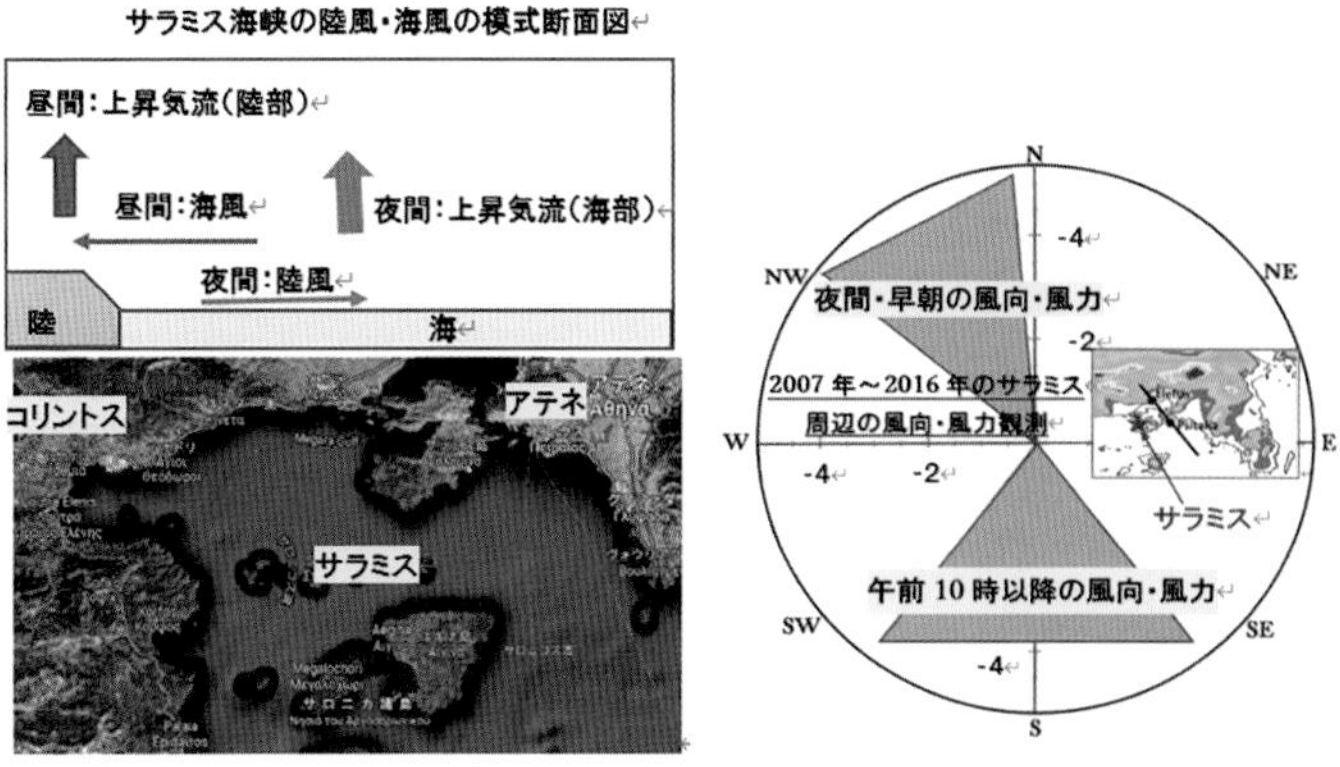

図表4-12　サラミス海峡の陸風・海風の状況図

ドリスコスで閲兵（BC480年春）をしてから海戦の9月下旬まで、距離的に母国での船体補修や補給は困難であり、士気の甚だしい低下があったであろうし、ペルシア艦艇の供出国は決戦場所のサラミス海峡から200km以上も離れたところなので、同地の風波や潮流の状況についての知識は乏しかった。

●一方、ギリシア艦隊は、「サラミス海戦」時に380隻となった。各国艦隊は出身ポリスに近く補給は容易であったから、士気は上がった。ギリシア艦艇の供出国は、図表4-14に示すようにサラミス海戦場所を囲んだ国々が殆どであり、司令官テミストクレースの「風の1日の変化を利用した作戦」を十分理解できた。さらに後述するテミストクレースの才知にギリシア連合軍は感服し、その指示に従ったのだ。

●結論として、当たり前ではあるが、「戦争の帰

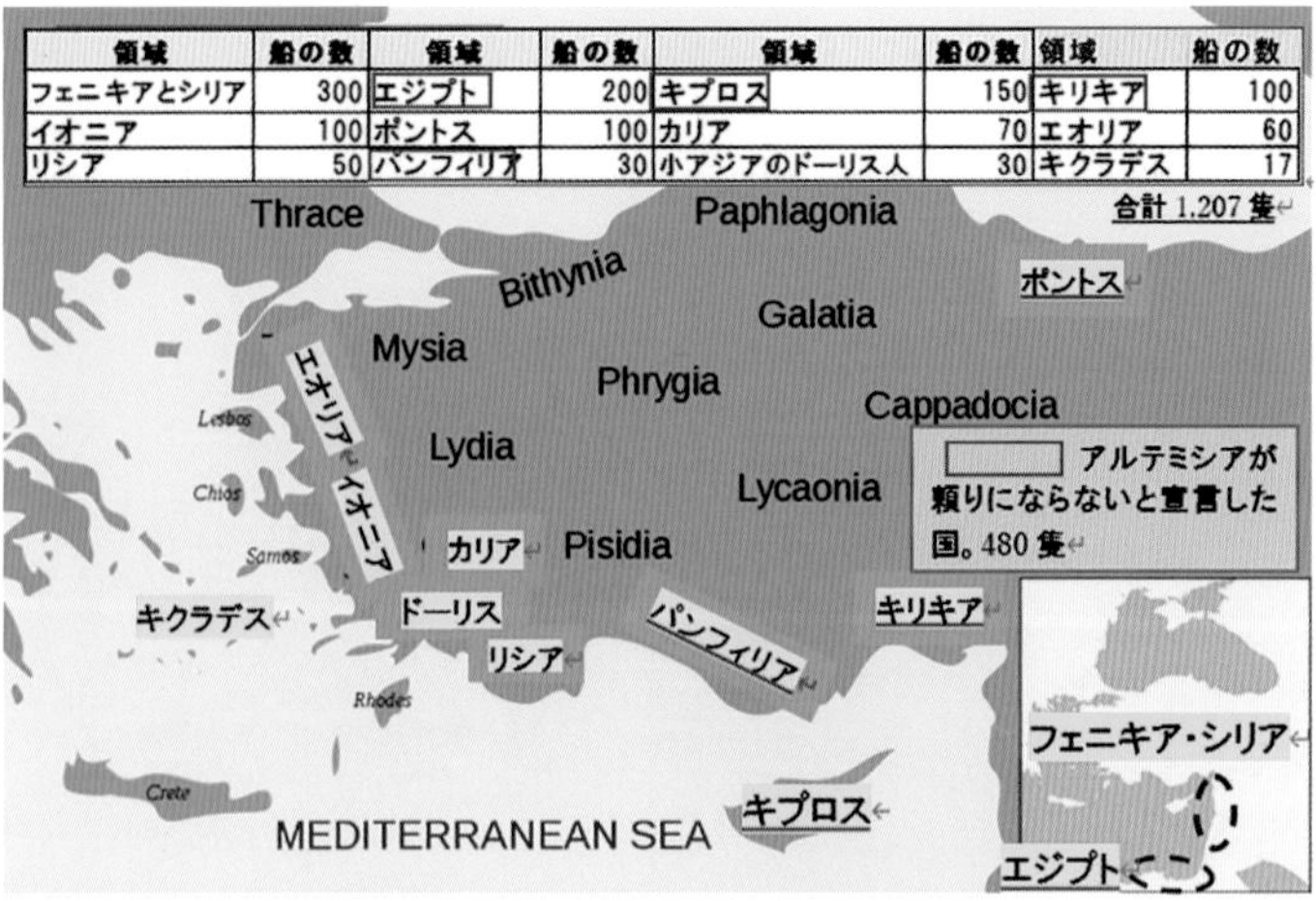

領域	船の数	領域	船の数	領域	船の数	領域	船の数
フェニキアとシリア	300	エジプト	200	キプロス	150	キリキア	100
イオニア	100	ポントス	100	カリア	70	エオリア	60
リシア	50	パンフィリア	30	小アジアのドーリス人	30	キクラデス	17

図表4-13　ペルシアへ艦艇供出国

アテナイ軍	180隻	スパルタ軍	18隻	トロイゼン軍	5隻	ストゥラ軍	2隻
コリントス軍	40隻	シキュオン軍	15隻	ナクソス軍	4隻	キュトノス軍	1隻
アイギナ軍	30隻	エピダウロス軍	10隻	ヘルミオネ軍	3隻	テノス軍	1隻
メガラ軍	20隻	アンブラキア軍	7隻	レウカス軍	3隻	クロトン軍	1隻
カルキス軍	20隻	エレトリア軍	7隻	ケオス軍	2隻	レムノス軍	1隻
						合計	380隻

図表4-14　ギリシア海軍の供出国

趨は、現地情報の多寡に依存する」ということである。

5 アルテミシオン海戦

ペルシア水軍は当初1207隻の3段櫂船がいた。そして前記のように、400隻+200隻を2回の遭難で失っている。したがって「アルテミシオンの海戦」時の3段櫂船数は半数の607隻となる。一方、ギリシア海軍は、『巻8・2』に「アルテミシオンに集結したギリシアの3段櫂船の総数271隻」。いずれにしろ、アルテミシオン海戦時の両軍の3段櫂船隻数は、607隻対271隻とペルシア軍が2倍以上と圧倒的に有利であった。

戦闘状況は**図表4-5**及び『巻8・10〜18』に、「ギリシア部隊がわずかな船数で攻撃してくるのを見て、クセルクセス軍の兵士も指揮官も全く狂気の沙汰と罵り……ギリシア艦隊を包囲する態勢をとった。……狭い海峡に閉じ籠められ正面に進む外ない態勢でありながら、……この戦闘でギリシア軍は敵船30隻を捕獲……悪戦苦闘を繰り返したが結局勝敗決せぬまま夜に入り、この海戦は物別れになった。2日目は、ペルシア船団は荒天のため出撃なし。3日目は『テルモピュライの戦い』が始まった日で、両軍死力を尽くしエジプト軍がギリシア船5隻を捕獲した軍功があった。その後、両軍はアペタイとアルテミシオンに戻り終戦となる」。この戦いはギリシア軍優勢で終わる。

6 サラミス海戦

「サラミス海戦」以前にペルシア軍はアテネを占領し、クセルクセス王は首都スーサに「占領報告」を早馬で送り、再記するが、海戦状況が見下ろすことのできる高所に玉座を据え督戦していた。ペルシア６８４隻、ギリシア３８０隻の戦力差があり、余裕綽々であった。しかしテミストクレースの戦略・戦術とアテネを中心としたギリシア海軍の奮戦で、ペルシア艦艇２００隻以上の大損害、ギリシアの被害は40隻以上と、完勝であった。

以下に海戦状況及びテミストクレースの戦略・戦術を紹介する。内容は重複した部分もあるが、テミストクレースの考え方が系統だっていることが分かる。彼の戦略・戦術の基本は、ペルシア軍を油断させた謀略と「ＡＭ10時頃のエテジアンと海風の変化に合わせ、『おいでおいで戦法』で、サラミス海峡の屈曲海域にペルシア船艇を誘導する」作戦。まさにトヨタ生産方式の「ジャスト・イン・タイム」を成し遂げた戦略・戦術でありテミストクレースの指示通り戦ったギリシア水軍の凄さである。両書の記述とともに、【括弧】内に解説を記した。

①海戦状況とテミストクレースの戦術

海戦の状況を、『歴史』と『プルターク英雄伝・テミストクレース編・14』で時系列に記す。

●『巻８・60』で「狭い海域で多数の艦艇に少数をもってあたる場合には、戦いが『自然の経緯』をたどる限り、わが方が大勝を博すはずである。狭い水域での海戦はわが方に有利であり、広い水域で戦えば敵を利する理であるからだ」と記している。この言葉の意味を以下に記述する。

図表4－16はペルシア艦隊の密集度合いと、それによる行動の制限を示した4×4＝16隻の船団図である。この船団が数十グループでペルシア海軍となる。前方を動きの遅いギリシア艦艇に抑えられ、「連れ潮」で、進路変更が難しい。この状態でギリシア艦隊の横からの突撃を受ける。攻撃により、ペルシア船は串刺しとなるか、併走によりオールを破壊され、操船の自由を奪われるのだ。したがって**「狭い海域で多数の艦艇に少数をもってあたる」**は、合理的である。

●『巻8・70～71』：「**【御前会議】**この時すでに日は没し、海戦を行うには明るさが足りず、翌日を期して戦闘の準備にかかった……事実ペルシアの陸上部隊は、同夜ペロポネソスに向けて進撃を開始した」。

●『巻8・76』：「ペルシア軍はまずサラミス島と本土の中間に横たわる小島プシュッタレイアに多数の兵士を上陸させた。**【図表4－15に示す、本土側とプシュッタレイア島に包囲網を形成】**次に夜半を待って西翼の部隊を円弧**【艦隊構成は分からないが、『翼』と記しているので多列なのであろう】**を描きつつサラミスに発進させ、ケイスおよびキュノスラ付近に配置された部隊も発進して、ムニキア**【ピレウスとパレロンの中間】**に至る海峡全域を艦隊で封鎖**【ギリシア艦船が逃走できないようにペルシア艦船を密に配列】**した。……ペルシア軍は夜中一睡もせず準備にかかった」。

夜中に大艦隊を移動させるのは困難であり、少数の艦艇であろう。

●『巻８・83』：「ギリシア軍は【ペルシア軍に包囲されていることを】信ずるに至り、ようやく海戦の準備にかかった。夜の白む【９月下旬の日の出は７時頃】とともに指揮官たちは艦上戦闘員を集合させたが、この時テミストクレースの与えた訓示は他のどれよりも優れたものであった。……ここにおいてギリシア軍は全艦船をもって外海に乗り出した【２時間後の９時頃。朝凪が終わった時刻】が、それと同時にペルシア軍は直ちに彼らに迫ってきた」。

ＡＭ10時頃にサラミス海峡の図表４－15に示すＡ点（屈曲海域）に到達するように十分な作業指示を行い、外海への始動を遅くしている。

●『巻８・84』：「ギリシア船の艦船は櫓を逆に漕いで船を陸に乗り上げよう」。さらに「ここにただ１人アテナイ人……アメイニアスの船が戦列を抜けて前進し、……ここで戦闘が開かれた」と記している。この時点ではすでに海峡の風向きが変わっていた。

●『プルターク英雄伝・テミストクレース編・14』：「テミストクレースは時期のみならず場所もよく見極めていたらしく、①爽やかな風が海から吹き、海峡のところ**【サラミス海峡の変曲点：図表４－15のＡ点。サラミス島側の流れが増速される】**で波が立つ、いつもの時刻**【ＡＭ10時頃。陸風から海風に変化するとともに、夜間吹かなかったエテジアンが吹き出す】**が来るまでは、**自分の軍艦をペルシアの軍艦に向かって進めない**【逆櫓でペルシア船に船首を向けても、近づかない。『おいでおいで作戦』】ように用心した。②この風は浅くて低いギリシア船には害を與なかったが、艫が盛り上がって甲板が高く重いペルシアの船が進もうとする時に【ペルシア艦艇は風に対する露出面積が大きいので、風圧を受けやすい。図表4−12に示すように4~6m／sの強風が吹く】**吹きつけて外らし、脇腹を向けさせたところへ**【風波・潮流に対して、ペルシア船は『連れ潮』状況になり、風の向きに対して艦艇を変針させるには、大きな推進力が必要で前後左右友軍の船艇に囲まれ、急増速は困難】**激しく攻め寄せた**」。グッド・タイミングで、サラミスの島影から、衝角を持った3段櫂船を突撃させた、「ジャスト・イン・タイム」。まさに海賊戦法である。

●『巻8・86』：「ペルシア軍艦の大部分は、アテナイ軍とアイギナ軍のために破壊され航行不能の状態に陥った。ギリシア軍が整然と戦列も乱さず戦ったのに反し、ペルシア軍はすでに戦列も乱れ何一つ計画的に行動することが出来ぬ状態であったから、この戦いの結果は、当然起こるべくして起こった」。

❶ペルシア艦隊の現地侵入とギリシア艦隊の「おいでおいで作戦」

ペルシア軍泊地のパレロン湾（C）から海戦場所（A）までの距離は約14㎞。3段櫂船の平均航行速度は時速約13㎞であるので、1時間強で到達してしまう。8時出航とすると9時には着いてしまうので、ギリシア軍は引き伸ばしのためペルシア艦隊に対して櫓を逆にし、「おいでおいで」の戦法を取った。前方をギリシア艦隊が抑え、変曲点（Ａ点）にＡＭ10時頃に到達させる戦術である。「櫓を逆」は、ギリシア船首衝角がペルシア船の前方にあり、櫓を漕ぎ敵船に接近しようとすると、衝角の餌食となり接近できない。素晴らしい戦法である。

❷艦船配列

ギリシア、ペルシアの艦艇の３段櫂船を復元船「オリンピアス号」の全長36・９ｍ、幅５・５ｍとして、艦艇同士の間隔をエイト競技の出発時の船艇間隔から20ｍ（日本ボート協会競漕規則によれば「競漕レーンの幅は12・５ｍを標準とし、12・０ｍから15・０ｍは許容範囲」）とした。図表４－16に示すように、艦艇は一応配置できるが、テミストクレースの目算通り、「ぎゅうぎゅう」である。

❸海戦時の艦船の動きの推定

●「オリンピアス号」の走行性能は、船舶考古学博士・山船晃太郎氏のブログ「Hi-Story of the Seven Seas」によれば、平均航行速度約13㎞／h、最大速度約18・５㎞／hで櫂走できると、記している。２０２１年東京オリンピックボート競技エイト（２０００ｍ）の優勝タイム５分24・６秒の時速22・２㎞に匹敵する高速漕走なのだ。エイトのボート重量は96㎏以上、長さ17ｍ、幅０・７ｍ程度が規定である。エイトは１段櫂走。３段櫂船は上下３段の櫂走なので長時間高速走行可能である。9人乗りのエイトと200人乗りの「オリンピアス号」を比較する。乗員当たりの船体重量は、エイト11kg／人、「オリンピアス号」175kg／人で圧倒的に3段櫂船の方が重い。さらに細長比＝船長／船幅は、エイト17／0・7＝24・3、「オリンピアス号」36・9／5・5＝6・7で、細長比でも「オリンピアス号」の方が不利であるが、速度は17％しか変わらず、3段櫂船の威力、すなわち船首の衝角で敵船横腹に穴をあけ沈没させる能力が高いのである。

●3段櫂船の運動性能について、Boris Rankov著『Trireme Olympias, The Final Report, Sea Trials 1992–4, Conference Papers 1998』によれば、時速10kmには10秒で到達、時速17kmには24秒で到達、スタートから145m地点となる。最高速度に到達する時間は決して早くはない。

❹串刺し戦法と海域の広さ

●3段櫂船は敵船横腹を狙う。当然敵船は船腹を晒さないように逃げ回る。敵船を上回る敏捷性がなければ串刺しにはできない。敏捷性だけでなく動き回れる海域の広さが必要である。「サラミス海戦」のように、狭隘な海峡で包囲戦法を取り、ペルシア船の逃走ができないようにした問題点は何か？

✧図表4–16に示すこの陣形は、図表4–17に示す重装歩兵集団戦法と同様、縦方向進行は容易だが、方向転換は隣の友軍船艇の進路を妨害するので困難である。さらに前方はギ

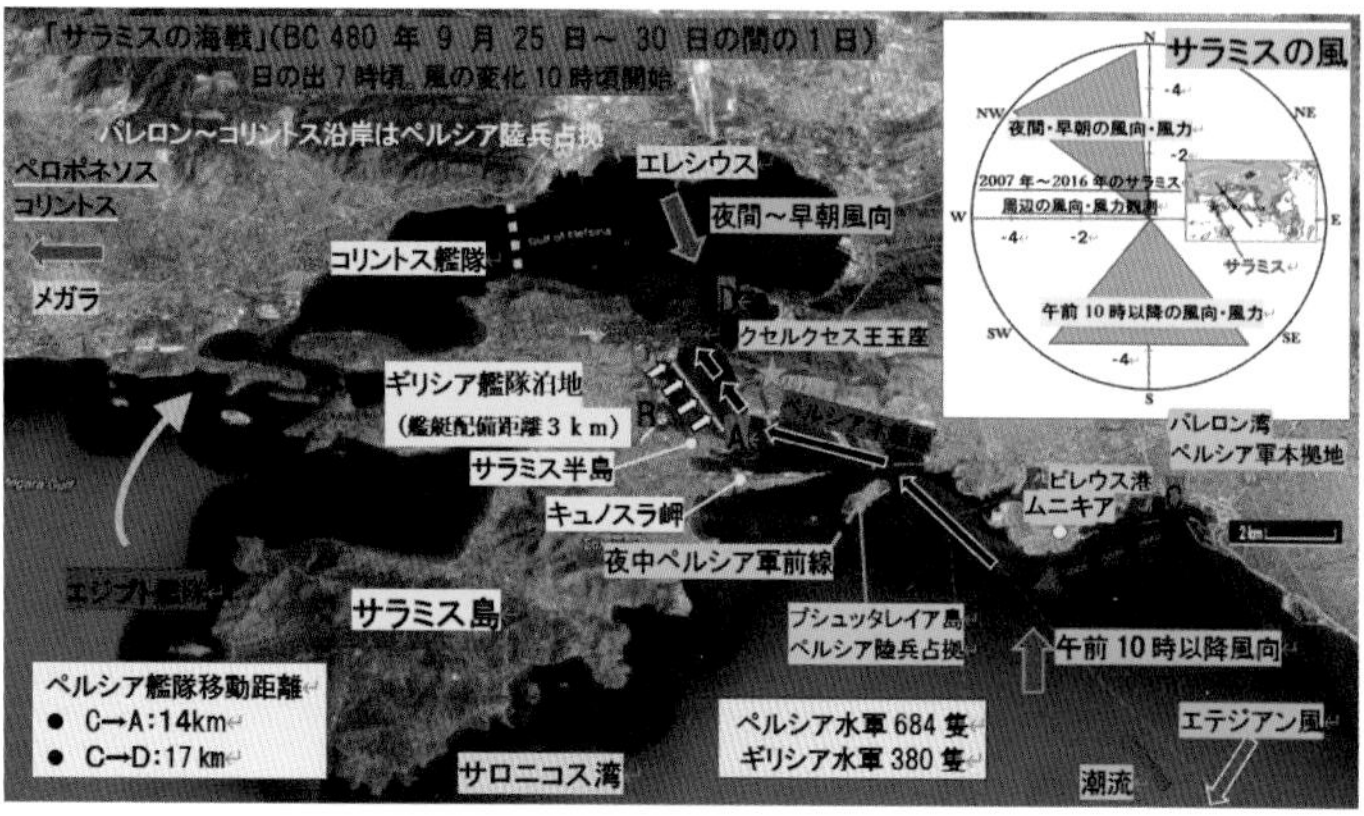

図表4-15　「サラミスの海戦」の戦況
（『巻８』とサラミスの風の状況）

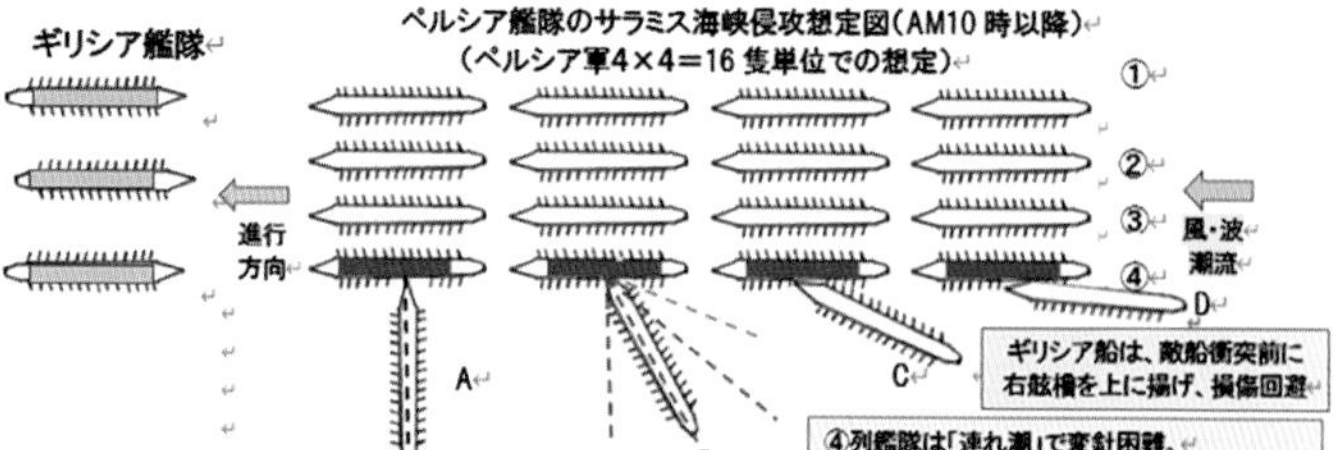

図表4-16　ペルシア艦隊のサラミス侵攻図
（開戦場所でのペルシア軍16隻のユニット想定）

リシア艦隊が塞いでいるので操船の自由がない。この状態で、前方左側（サラミス島側）よりギリシア船が助走をつけ突進してくる。ペルシア船は船尾方向から波・潮流に押され（連れ潮）、舵の効きが悪くなり、ギリシア船の突進を回避するための進路変更が困難である。

●操船の自由度の少ないペルシア船にギリシア船が突撃。ペルシア船は必死に逃げるためオールを全力で漕ぐ。一方、ギリシア船は惰力で敵船に衝突できるので、損傷を防ぐためオールを上に揚げる。その結果、ペルシア船のオールは破損し、操船の自由を奪われる。一方、ギリシア船のオールは健全で、敵船への接舷は容易となり、ペルシア船に乗り移り白兵戦に。両軍船舶は「団子状態」となる。

●3段櫂船は前記のように、重装歩兵10人が乗っているが、ギリシア船の水夫170人も元々重装・軽装歩兵の訓練を受けている。一方、ペルシア兵は傭兵や奴隷が多いので、歩兵の訓練の程度は低かったのではないだろうか？「マラトンの戦い」の事例からギリシア人水夫の方が、戦闘能力が高かっただろう。すなわち白兵戦でもギリシア軍圧勝であったのだ。

②海戦の主役

この海戦での主要な役者を紹介すると、テミストクレースとペルシア海軍傘下のカリアの僭主で女海賊アルテミシア1世である。

❶テミストクレース

彼は艦隊の運用術に優れているだけでなく、人使いも優れている。人使いや人々の誘導術を下記に示す：

●3段櫂船造船を市民に認めさせるため、陸戦派であった「マラトンの戦い」の将軍アリステイデスを、BC485年からBC482年の間、陶片追放した。

●BC483年ラウレイオン鉱山の銀を使って3段櫂船200隻を建造。はじめは都市国家アイギナの公認海賊退治のためと称して100隻。次にペルシア対策として追加の100隻を造った。先見の明とアテネ市民に応諾させた弁論力である。

●ペロポネソス同盟軍を味方に付けるため、3段櫂船供出数第4位のスパルタの将軍エウリュビアデスにサラミス海戦の総司令長官を譲る。**ゴマすりである。**

●『巻8・41』にペルシア軍襲来時に「兵員以外のアテネ住民全員のトロイゼン（図表4－14）等へ強制疎開【結果として、ペルシア軍によるアテネ蹂躙】」と指導力を発揮した。この復讐がBC330年のアレクサンドロス大王による、クセルクセス王が晩年意を尽くして建設した、万国門をはじめとしたペルセポリス宮殿の放火・炎上である。

●『巻8・74』ペロポネソス同盟軍が、「海軍はペロポネソス【コリントス地峡、イトモス】に移動しペロポネソス防衛のためにこそ背水の陣を布くべきで、すでに敵の手に落ちた国土【アテネ】のために留まって戦うべきでない、と主張するもののあれば、これに対してアテナイ人、アイギナ人、メガラ人らは、ここに踏みとどまって防衛すべきことを説いたのである」と記している。さらに『巻8・62〜63』にテミストクレースは「私の計画を実行してくれぬのならば、われわれはこのまま直ちに家族を収容してイタリアのシリス【南部のシュバリス】へ移住するであろう。……そなたらはこれほどの同盟軍（アテネ）を失って後はじめて、私の言葉を思い知るであろう。……**アテネ軍が離脱すれば、残余の部隊ではもはや敵と戦う力はなかった**からである」と記している。**同盟軍を恫喝して**サラミス海戦に誘導した弁論力である。

●『巻8・75』に「ギリシア軍の足並みが揃わないので、アテナイは連合軍を離脱する」と嘘**の情報をペルシア王に漏洩し、安心させる。**

●ペルシアのイオニア艦隊寄港地に「同じギリシア人。したがってペルシアからの離脱勧告」を張り付ける。

❷アルテミシア1世

●ヘロドトスによれば、1次侵攻を失敗し、「マラトンの戦い」のときは司令官を外されたマルドニオスは、再征を強硬に主張し、第2次遠征を計画した。陸軍の指揮権を与えられていたのみならず「サラミス海戦」前のパレロンでのペルシア海軍の作戦会議を主導した。ここで5隻の船を提供したカリアの女王で海賊とも言われたアルテミシア1世は、ギリシア軍との交戦に反対したが、主戦派マルドニオスの意見が通り海戦となり、ペルシア軍の惨敗となった。

●『巻8・68』に、クセルクセス1世が招集した作戦会議でアルテミシア1世は「マルドニオスよ、どうかこれから私の申す通りを王にお伝え願いたい。『アルテミシオンの海戦』に、その働きは決して人後に落ちることなく、功績においても他に劣ることのなかった私の申すことは、『殿よ、私がただ一番殿のおためになると思っておりますことを、ありのまま申しあげます。a.水軍を温存し海戦をなさらぬように……。その理由は、海上において敵が貴下の将兵に勝ることは【陸の大国で、寄せ集めのペルシア艦隊は、地の利があり海洋国家ギリシア連合軍に勝てない】、男子と女子との差ほどもある。……殿には海戦を開いて危険を冒される必要がどこにありましょう。今次のb.御遠征の目標でありましたアテネはすでに殿の御掌中【アテネを陥落させた】にあり、……ここをお動きにならず水軍をこのままc.陸地近くに留めおかれるか、あるいはさらにペロポネソスへ進出なさいますならば、殿よことは易々とはじめの御計画どおりに運びましょう【その通りである】。……またもしd.殿が陸上部隊をペロポネソス【イストミア経由で】にお進めになれば、同地出身【ギリシア】の部隊が動揺せずにおるとは考えられず、もはやアテネのために海戦を行うことなどはその念頭から消え失せましょう。……海戦をなされますならば、私の恐れますのは、e.水軍が敗れた場合、陸軍にも累を及ぼすことでございます』」と、記している。しかし取り巻きの人々の言葉に従いクセルクセス王は海戦を選び、ペルシアは没落の道を選択してしまった。
●さらにアルテミシア1世の海賊ならではの素早い対応が『巻8・87〜88』に記されている。すなわち敗戦場所からの離脱の進路に友軍の戦艦がいて、これに突入沈没させ、素知らぬ顔であった。
●ちなみに多島海のエーゲ海の海賊行為について言及すると、その防衛として強力なクレタ水軍が、海賊退治をしていた。ギリシアの暗黒時代が終わると、商業航海が盛んになり海賊が跳梁し、『巻3・39』にその中でサモス島僭主・「ポリュクラテス（在位BC538年頃〜BC522年）は五十櫂船100隻、弓兵1000を持ちエーゲ海を荒らしまわっていた」と記している。領土拡大の野心を見破られペルシアのサルディス総督オロイテスに殺害された。島の僭主といえども海賊行為をするのである。アルテミシア1世はハリカルナッソス・カリアの女僭主。したがって海賊行為をすることは不思議ではなかった。
サモス島やハリカルナッソスは東エーゲ海。古来、黒海からアテネを含むアッティカ沿岸は穀物の通商路。穀物運搬船を狙う公認・非公認海賊が暗躍していた。トロイ戦争のトロイやアテネ近くのエギナ島である。これらのポリスは、当然海軍力に優れている。例えばエギナ（アイギナ）島は、伊豆大島より若干面積が小さな島で、アテネの外港ピレウスに約25kmの近距離にある。しかしギリシア海軍に30隻の3段櫂船を提供し、アテネ200隻、コリントス40隻に次ぐ戦力であったのだ。ペルシア戦争以前アテネはエギナの海賊行為に悩まされ非常に仲が悪かった。しかしペルシア戦争がはじまると「同じギリシア」ということで一致団結をしたのだ。海賊は操船技術が優れ、当該箇所の地形による風・波・潮流状況を熟知し、商船を出し抜けられねば、商売にならないのだ。

公認海賊の事例を紹介すると、「海賊女王」とあだなされたイングランド女王・エリザベス１世（在位１５５８年〜１６０３年）は、プリマス出身のフランシス・ドレークを英国公認海賊（私掠船）と認め、爵位を与えている。１５８８年イングランドとスペインの戦い・「アルマダの海戦」で、海賊ドレークは英国艦隊の副司令長官として、夜襲や火攻めという海賊戦法で圧勝し、国難を救ったのである。「サラミス海戦」のような大海戦は、正規軍の戦いでなく海賊働きのような機転の利いた戦法が必要なのだ。

３　ペルシア対ギリシアの陸戦

ペルシアとギリシアの大規模陸戦は、第1次戦役の「マラトンの戦い」及び、第2次戦役の「テルモピュライの戦い」と最終戦の「プラタイアの戦い」が行われ、これらを紹介する。そして陸の大国ペルシアの陸軍が海の国・ギリシアの陸軍に、なぜ負けたり苦戦をしたりしたかを説明する。

❶第1次戦役・「マラトンの戦い」

『巻6・95〜117』に「ペルシア遠征軍は、三段櫂船600隻によって輸送された。遠征軍はスコイニア湾に上陸し、軽装歩兵、重装歩兵、騎兵を展開し、中央部に主力を配して陣を張った。対して、アテネ兵・プラタイア兵の連合軍は、マラトン南部の街道から侵入し、同地のヘラクレス神域に布陣、ペルシア軍と対峙した。アテネ重装歩兵集団は下り坂を利用して圧勝し、参戦者数はギリシア連合軍1万人（アテネ9000人）、ペルシア軍2・6万人。死者数はギリシア軍192人、ペルシア軍約6400人」と記されている。

ペルシア軍自慢の陸軍が、ギリシア最強のスパルタ軍ではなくアテネ軍に完敗したのである。アテネ軍は完全装備の重装歩兵。一方、ペルシア軍は軽装歩兵と言われている。ここでよく分からないのは、600隻の3段櫂船使用となれば、600隻×200人＝12万人の兵員が搭乗。兵士は2・6万人で、22％しか陸戦に参加していないのだ。アテネ軍なら図表5－1に示すように、櫂手も軽装歩兵になれるのだが。アテネ軍の司令官はミルティアデス含め10人いて、衆議がまとまらず、なかなか開戦できなかったが、彼が当番の日に突撃をかけ勝利した。

彼は、BC489年のパロス島遠征を決行するものの失敗し「アテネ民衆への欺瞞」の罪で死刑を求刑されたが、かつての英雄に対する情状酌量が認められ、50タラントン（1タラントンで3段櫂船が1隻建造できる程の大金）という極めて高額な罰金を支払うことで死を免れた。しかし支払い完了前に、獄中で腿の壊疽により死亡したとされる。救国の英雄を外国遠征が失敗した咎で告訴し、獄中死をさせるのはアテネの堕落と思うのだが。

この戦勝報告を、プルタルコスによれば、エウクレスなる兵士が完全武装のままマラトンの戦場からアテナイまで走り、「我ら勝てり」と告げて絶命したという。これらは後世の創作である可能性もあるが、これをもとに第1回近代オリンピック（1896年）では、アテネ―マラトン間の競走競技が行われた。

2 第2次戦役・「テルモピュライの戦い」

「テルモピュライの戦い」では、スパルタはカルネイア祭の時期で、十分な兵力を送ることができず、王レオニダスは親衛隊300人のみを率いて出陣し、海岸沿いの隘路でスパルタ兵を含むギリシア連合軍7000人を率いて戦った。ペルシア軍は、開戦以前に4日間、ギリシア軍に対して降伏勧告をしたが受託されなかった。ペルシア軍は狭い地形のため騎兵を展開することもできず、自軍より遥かに少ないギリシア連合軍にてこずったのだ。ペルシア軍は山中の間道の存在を知り、3日間の戦闘の後、挟み撃ちでギリシア軍を包囲・殲滅した。レオニダスは、ペルシア軍を7日間足止めし、ギリシア軍は「サラミス海戦」への準備ができた。

『巻7・175〜228』によれば、スパルタ兵300人、その他ポリス兵4900人の合計5200人。決戦に臨んだのはスパルタ側1400人程度と言われる。レオニダス王は子供がいない兵は家の名前を残すため帰還させた。ペルシア兵はヘロドトスによれば21万人。死者はスパルタ側1000人以上、ペルシア側2万人以上といわれる。

『巻8・25』に、ギリシア軍の脱走兵がクセルクセス王の尋問に答えて「ギリシア人はいまオリンピア祭り?を祝っているところで、体育や馬の競技を観覧している、と答えた。その競技の賞品は何かと、質問者が尋ねると、彼らはオリーブの枝の冠が与えられると答えた。……すなわち王は競技の褒賞が冠で金品でないと聞くと、黙っていることができず、満座の中でこういった。『ああマルドニオスよ、そなたはわれらをよりにもよって、何たる人間と戦わせようとしてくれたことか。金品ならぬ栄誉を賭けて競技を行う人間とは』と、記している。それぐらい名を惜しむ恐ろしきスパルタ兵なのだ。

3 最後の戦い・「プラタイアの戦い」

●「サラミス海戦」で敗れたマルドニオスは、ギリシアの隷属を王に約束して、精鋭部隊不死隊を含む30万人もの大軍と共にテッサリアに留まり越冬した。マルドニオスはアテネに降伏を勧めるも拒否されたため、BC479年に再度アッティカに侵攻して、アテネを再び破壊した。対するギリシア軍はスパルタを主力とした、コリントス、アテネ等連合軍で兵力11万人。テバイ南方で「プラタイアの戦い」が行われ、マルドニオスは敗死、ペルシア軍撤退であった。スパルタは「テルモピュライの戦い」でのレオニダス王の仇を討ったわけである。

●ペルシアは敗れたが、帝国としては辺境での敗戦であり、痛手は少なく、財力は豊かなので、ギリシア各ポリスの抗争に対して、アテネを応援したり、スパルタを応援したりと大きな影響力を持ち続けた。BC330年、アレクサンドロス大王がダレイオス3世を打ち破るまで、その後120年間繁栄を続けたのである。

●この戦いの後、アテネは海軍力を背景に、ペルシア軍の再襲来に備えてデロス同盟を立ち上げ、ギリシアのポリス社会の主導権を握った。

4 ペルシアの陸軍力とギリシアの陸軍力の比較。市民兵VS傭兵等と戦闘技術

ここでギリシア軍が「マラトンの戦い」で圧勝した理由と「テルモピュライの戦い」で大善戦をした理由を示す。その理由は、次の2点である。

●兵士の意識の問題
●装備、戦術の問題

①市民兵と傭兵

ギリシア軍は国を守る意識の高い市民兵。一方、ペルシア軍は意識の低い傭兵や他国兵等を多数使用したこと。すなわちルネサンスのマキャヴェッリが著した『君主論』「第12章――軍隊の種類と傭兵について」に、「金目当ての傭兵の気力の基盤は支給金で、市民兵の気力の基

盤は愛国心とは違う」と記している。

②装備、戦術

重装歩兵集団（ファランクス）はもともとメソポタミアで発生。ラガシュ第1王朝（BC26～BC24世紀頃）の図表4-17に示す「戦勝記念ハゲワシの碑」に重装歩兵密集陣形の浮彫が残されている。

歩兵は大型盾・長槍・鎧・ヘルメットのいでたち。アテネでは装備自弁の制度から、図表5-1に示すように3等級の市民までしか重装歩兵になれなかった。長槍はペルシア2m、ギリシア4m。盾はペルシア60cm、ギリシア200cmと言われ、攻撃・防御装備で圧倒的にギリシアが優れている。

最も大事なことは密集集団が一糸乱れず団結して進むことである。歩兵は右腕に長槍、左腕に盾を持って行進。後方の者が槍の角度を変更することで、敵の攻撃を払い除けることも可能な隊形でもある。逆に部隊全体の機動性は全くなく、テルモピュライのように狭隘な場所では真価を発揮できない。また、正面以外からの攻撃には脆く、一旦乱戦になると転回移動は難しく、戦術としては用をなさなかった。このためテバイ、

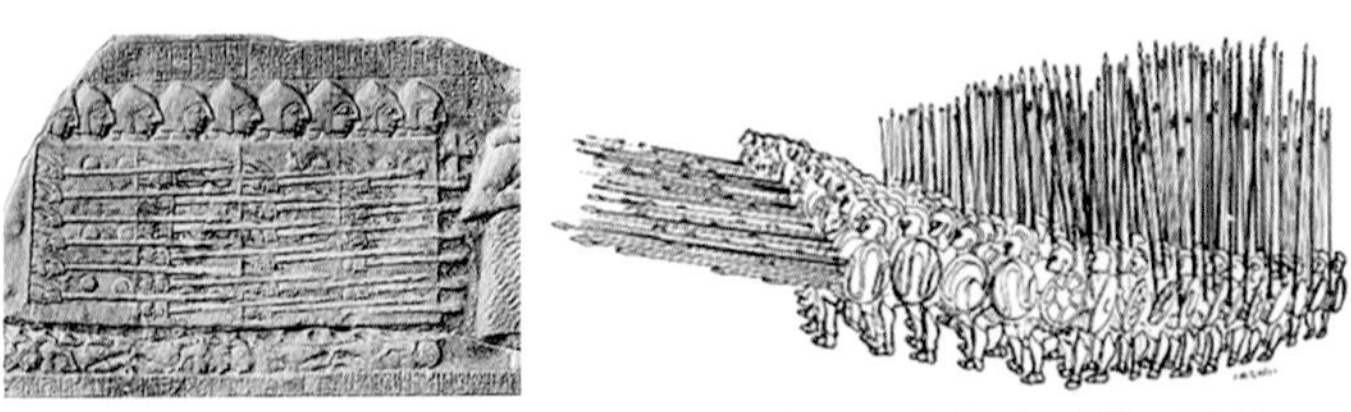

図表4-17　「戦勝記念ハゲワシの碑」と密集歩兵集団戦法

マケドニア等で幾多の改革が行われたが、騎兵を効果的に使うローマ軍団に敵わなかった。

ファランクスの防御は、前列が後列の、同列では盾で左側の歩兵の右側を守るのである。ここで問題はファランクスの最前列と、最右側（行）の歩兵は仲間による盾の防御がないので、ここの歩兵は強壮な戦士が選ばれる。また、前方の歩兵が弓矢等で負傷したり死亡したら、後続兵はそれを踏み越え前進したりしなければならない。このような状況に、市民兵は連帯感から信頼関係は強固だが、傭兵は困難なことが多い。傭兵は死の危険があると団結が乱れ、逃亡もあって、体を成さないことがある。

この見解を表す言葉が、「プラタイアの戦い」を記した、『巻９・62』に「ペルシア兵は勇気も力も劣らなかったが、堅固な武装を欠いた上に戦法を知らず、戦いの巧みさでは到底相手の敵ではなかった。彼らは単身または10人乃至その前後の人数が一団となって飛び出してゆき、スパルタ陣中に突入しては討ち果たされた。……彼らが打撃を被った最大の原因は、武装を欠いたその服装であった。重武装の敵を相手に軽武装の兵が戦ったわけだからである」と記している。第５編に示す猛烈な軍事教育で鍛え抜かれたスパルタの重装歩兵密集団に敵わないことを記している。

4 ペルシア戦争の兵站施設

ペルシアの首都スーサからアテネまで、約2400㎞もある。ダレイオス1世は、リュディア征服後、領土経営のため「王の道」、すなわちスーサからサルディスまで、公称2400㎞、緯度経度から算定では約1960㎞の舗装した大道を造った。さらにサルディスからアテネが380㎞。何れにしろ、途方もない距離で、その間に大河や地峡の難路があった。『歴史』に記す総動員兵士数528万人以上の兵力の兵站施設を、どのように造ったのか？　それは下記に示す三つの施設である。

1 王の道

図表4-18に示す「王の道」は、従来あったアッシリアの王たちが造った道路を基にし、それを対ギリシアの戦争に活用した。ダレイオス1世の没年は、BC486年。ペルシア戦争の開始はBC492年であり、クセルクセス王も「王の道」の整備に意を尽くしたものと推測できる。

図表4-18　アナトリア地方の「王の道」

長距離道路と宿場建設は、ウル第3王朝シュルギ王（ＢＣ２０９４年～ＢＣ２０４７年）が、ニップル～ウル間１５０㎞に10㎞ごとに宿駅を設けたのが始まりである。「王の道」に遡ること約１６００年前である。アケメネス朝ペルシアは、図表４－１に示すような大帝国であり、領土を統治するために堅牢な幅６ｍ・舗装の軍用道路および、それに付随した宿場等を含めた駅伝制度が不可欠であった。

『巻5・52』に「街道上のいたるところに、王室公認の宿場と大層立派な宿泊所があり、……ハリュス河の流れがあり、ここには関所が置かれている。……その防衛のため強大な衛所がある。……宿場の総数は１１１、……１３，５００スタディオン（約２７００㎞。実質は１９６０㎞）になる。毎日１５０スタディオンずつ進むとすれば、ちょうど90日かかる」と、記している。ヘロドトスの記述では、六つの川に艀があり、通行できる。このように「王の道」は、軍用道路を主目的としていたが、民間人も利用できたのである。

さらにヘロドトスは「王の道」の情報伝達システム、駅伝制度が整備されていることを記している。『巻8・98』に「この世に生をうけたもので、このペルシアの飛脚より早く目的地に達しうるものはない。……全行程に要する日数と同じ数の馬と人員が各所に配置され、１日の行程に馬1頭、人員1人が割り当てられ……飛脚たちが全速で各自分担の区間を疾走し……。最初の走者が走り終えて託された伝達事項を第２の走者に引き継ぐと、第２の走者は第３の走者へと……松明競争のように、次から次へと中継されて目的地に届く」と、絶賛である。もっともこれは「サラミス海戦」の敗報連絡であった。

所要日数について『歴史』に記述はないが、シュライバー著『道の文化史』には、「10日間」と記している。高山あり谷あり、大河ティグリス・ユーフラテス等の渡船ありで、1日平均約200㎞もの走行である。

ダレイオス1世は、国土を約20の行政区に分割し、それぞれに総督を配置し、各地を結ぶ交通網の整備とともに、総督の監視や情報伝達のために「王の目」「王の耳」と称される監視官を派遣した。すなわち情報の大切さ、情報を運ぶ道の大切さをよく認識して、細大漏らさず情報が迅速に王の耳に入り、王からの指示が遅滞なく帝国の隅々に伝わるようにした。このようにして中央集権体制を確立し、大帝国を統治しようとした。ともかくローマのアッピア街道が造られたBC312年よりも、200年も前に素晴らしい道路システム、すなわち障害が少ない堅牢な高速道路と、駅伝制度が作られたのである。

2 ヘレントポス海峡舟橋

『巻7・33〜37／55〜56』に、イスタンブールに面したマルマラ海とエーゲ海を結ぶチャナッカレ海峡（ダーダネルス海峡／ヘレントポス海峡）に、クセルクセス王が架設した図表4ー19に示す舟橋を記している。同海峡の延長は約60㎞、幅は1・2㎞から6㎞である。ここに「チャナッカレ海峡大橋」が2022年完成した。主径間の支間は2023mあり、明石海峡大橋を32ｍ抜いて、世界一の主径間長の吊橋であるが、吊橋の全長や水深等工事の難易度は明石海峡大橋のほうが勝る。

『巻7・34～36』によれば「橋を2本かけたが、1本は白麻の綱を用いてフェニキュア人が、もう1本はエジプト人がパピルスの綱を用いて架けたのである。……距離は7スタディオン（１３４０ｍ）。完成直後、嵐で倒壊し、作り直しをした」のである。

「架橋は、50櫂船と三段櫂船を並べ、黒海側には３６０隻、もう一方には３１４隻を……海流には平行するような向きに配置した。船を並べてから特別に大きな碇を下した。……50櫂船と三段櫂船の並んでいる列の3か所に、船の通過できる隙間を空け、……陸地から木製の巻轆轤で綱具を巻き絞って張った。……水路の両岸が結ばれると、丸太を切り出して舟橋の幅と同じ長さにして、張った綱の上に順序良く並べ、並べ終わるとその上に横木を渡して縛り合わせた。その上に板を置き板もきっちり敷

図表4-19　ヘレントポス海峡舟橋想像図

き終わると、さらに土をその上に盛った。この土を踏み固めてから、今度は橋の両側に全長に渡って柵をつけた。荷曳用の獣や馬が足下の海を見ておびえることを防ぐためである」。ペルシア軍歩兵の橋の通過は『巻7・55〜56』に「2つの橋のうち黒海寄りの橋を歩兵及び騎兵の全部隊が、エーゲ海寄りの橋を荷曳用の獣と従僕たちが渡った。……遠征隊は寸時も休まず7日7晩に渡って海を越えた」と記している。

ちなみに、7日7晩＝168時間に、歩兵が1m間隔・5列縦隊で、毎秒1mの歩行速度とすると、302万4000人可能となる。また荷曳用の獣と従僕を何人と勘定するかによるが、ヘロドトスが記すような、500万人級の兵士の行進は可能かもしれない。ダレイオス1世は、BC514年のスキタイ遠征時にボスポラス海峡を渡る舟橋を建設している。これをクセルクセス王が真似したものである。

いずれにしろ合計4本の長大舟橋を建設したことは、凄い技術力である。BC334年アレクサンドロス大王は、同じヘレントポス海峡を渡ってペルシアに侵攻した。アッリアノス著『アレクサンドロス大王東征記・第1巻・11』に「3万を多く出ない歩兵と5千騎余の騎兵を率いて160隻の3段櫂船とその他多数の輸送船によって海峡を渡った」と記している。クセルクセス王は2桁違いの大兵力通過のため2本の舟橋を造ったのであろう。

3 アトス半島運河建設

前記したように、「アトス岬沖遭難」で大量の人員と船舶を失った。これに対してダレイオス1世はアトス岬沖航行を回避する運河建設を命じた。延長２km程度の砂州で形成された地峡に運河を3年間で建設し、ＢＣ４８０年に完成したのである。

「Exploration of the Canal of Xerxes, Northern Greece」: Article in『Archaeological Prospection, September 2000』によれば、１９９０年代に開始された地球物理学的調査で、運河は水面で幅約30ｍ、２つのガレー船が通過するのに十分な広さで、底部で幅約15ｍ、現在の地表面から深さ13ｍとの事である。過去２５００年の間に上部に土が堆積したのか随分深いのだが。『巻７・24』に「クセルクセスがこのような運河の開鑿（図表４－20）を命じたのは、一種の見栄によるもので、彼はこれによって自分の力を誇示するとともに、後世の語り草となるものを残したかったのであろう」と記している。まさにその通りで、櫂を使わず1隻の船体を曳航するのであれば、運河の幅

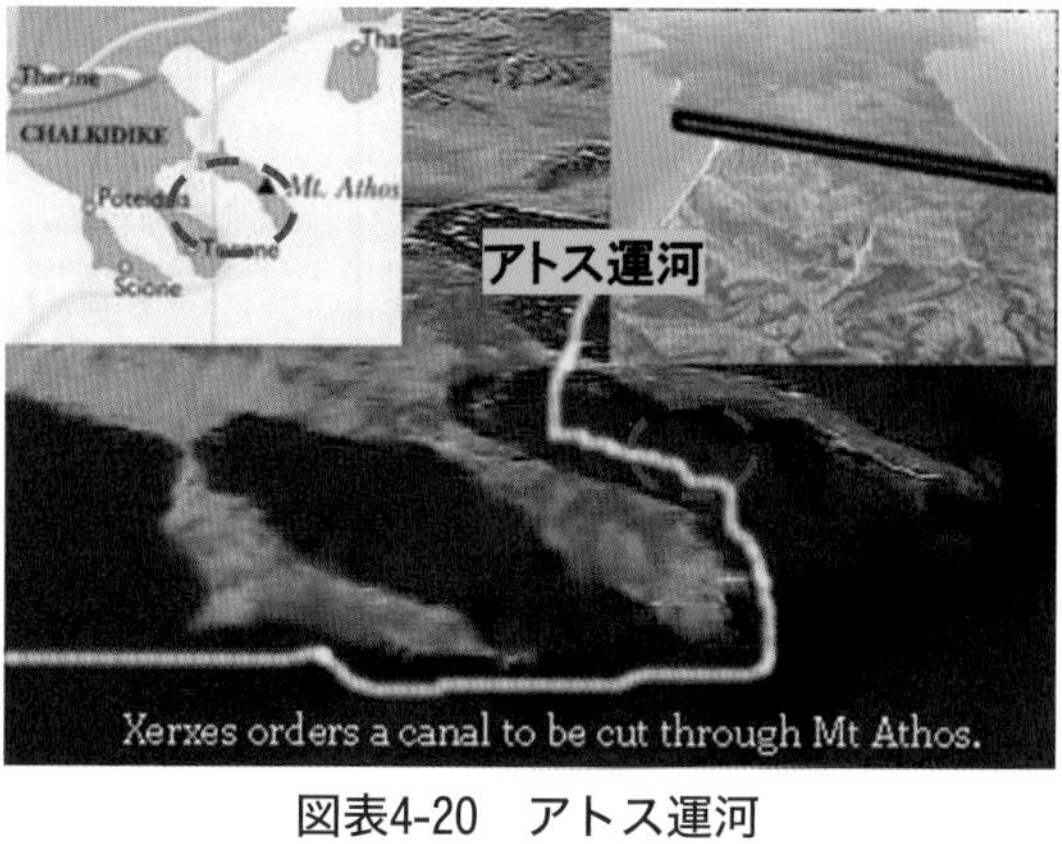

図表4-20　アトス運河

は4分の1程度になったのではないだろうか。

ちなみにダレイオス1世は、古代スエズ運河を開削したと言われている。『巻2・158』によると「2隻の三段櫂船がオールを出した状態で、すれ違うことが出来る程に広い」と記している。

5 ペルシア戦争後のアテネの防備

ギリシア・エーゲ海の諸都市は、クレタ島とスパルタを除いて城郭に囲まれていた。図表4-21に示すアクロポリスとアテネ海軍の重要拠点ピレウスを結ぶ長さ約7・5㎞の二重（壁間距離180mの道路用地）の高さ6mの長城は、テミストクレースの企画で、BC462年〜BC458年頃、建設を開始。この長城は、貿易港ピレウスと大生産・消費地アテネを結ぶ都市国家アテネの交易センターのシンボルであり、デロス同盟によるエーゲ海を中心とした交易圏の要だった。ペロポネソス戦争で黒海等からの食糧補給路を断たれ、BC404年、アテネは敗戦した。降伏条件として長城は寸断され、アテネの栄華は消滅してしまった。

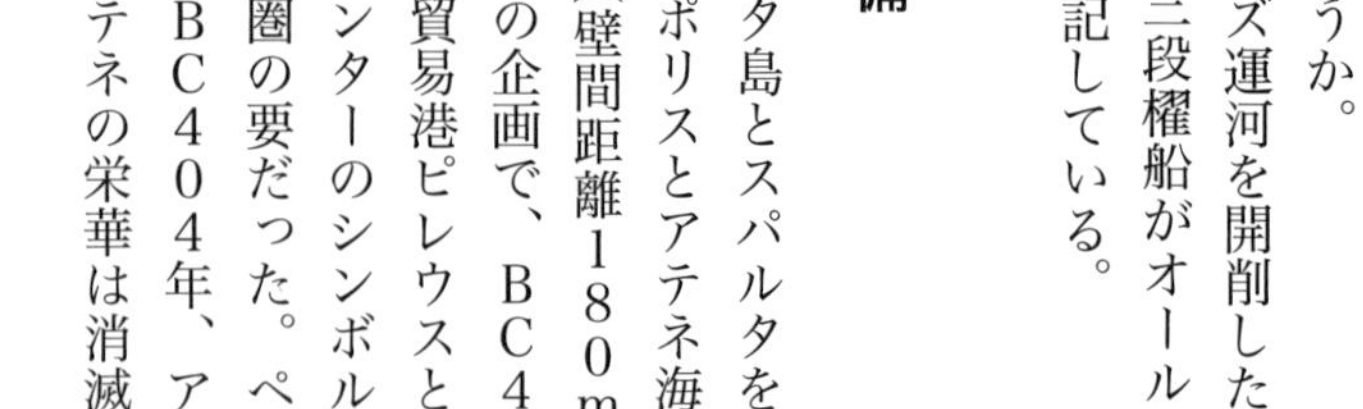

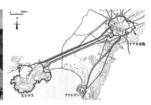

図表4-21　ピレウス〜アテネ・アクロポリスの二重城壁

第５編　文化で古代世界を制したアテネ。武力でアテネを制したスパルタ。なぜアテネの覇権は75年程度で衰退したのか？　なぜアテネの文化は西欧文明となりえたのか？

第5編

文化で古代世界を制したスパルタ。なぜアテネの覇権は75年程度で衰退したのか？　なぜアテネの文化は西欧文明となりえたのか？

ここでは、以下の項目について紹介する。

●ギリシアの都市国家の両雄、アテネとスパルタの国の仕組みを紹介する。
●第２次ペルシア戦争（ＢＣ４８０・４７９年）で海洋帝国とも称され覇権を握ったアテネが、なぜＢＣ４０４年に陸軍国のスパルタに海戦で敗れ、無条件降伏・武装解除となったのか？
●覇権を失ってもアテネの文明がその後も脈々と西欧文明として、発展しつづけたのは、なぜか？
●なぜアテネは短期間で衰退したにもかかわらず、後を継いだローマは長き繁栄ができたのか？

1 アテネとスパルタの歴史的比較

インド・ヨーロッパ語族のギリシアの発祥地は、ウクライナ地方で、鉄器文明のヒッタイト人と同じである。同時代に競いあったペルシアや各都市国家との対比年表を巻末図表に記した。ギリシアの民主政とは、市民（成年男子のみ。戦士）が直接国家の意思決定に参加し、国家の機構を運営する仕組みである。都市国家（ポリス）には、市民と数の多い非市民が存在し、原則として政治と戦争は市民が、生産活動は非市民が行った。市民は平等を原則とし、貴族は家畜・耕地を多く所有するが、財産が多いことのみで序列はない。しかし生活が苦しい市民家族は、生産活動に従事することもある。

市民は分割地所有者で、基本的に土地は共有でない。市民のアレテー（徳）は、家計の維持・弁論・知謀・武技・体育など戦士として優れていることが必要である。アリストテレスは『政治学』で「戦争の目的は平和であり、事業の目的は閑暇（スコーレ）である」と記し、市民は閑暇を持たなければならないと指導している。

スコーレとは、スクールの語源で、元来は「閑暇／ひま」を意味する。古代ギリシアにおいて哲学の形成に寄与したのは時間的な「ゆとり」の考え方である。精神活動や自己充実に当てることのできる積極的な意味をもち、個人が自由または主体的に使うことを許された時間。それに対して「奴隷に閑暇なし」の表現がある。またギリシアで発達した哲学（philosophy＝

philo：愛好する＋sophy：知恵）とは、原義的には「知を愛する」であり、広い意味で使われている。また哲学と科学の違いは、自分自身を対象にするか、どうかということである。

１ アテネ

●アテネはギリシア南部のアッティカ地方にある。広さは２４００㎢（神奈川県程度の広さ。現在の広域アテネ市は４１２㎢）。『山川　詳説世界史図録』によれば、前記したように最盛期（ＢＣ４３１年推計）、全人口31・5万人（市民家族55％、奴隷36％、外国人９％）である。

●以前から居住していたイオニア人が、北方より侵入のドーリス人を撃退して、ＢＣ８００年頃までにポリスを形成した。アクロポリスの丘を中心にした市域が城壁に囲まれ、周辺に市民の耕作地が広がっていた。またサラミス湾に外港ピレウスを持ち、海洋交易で大きな富を得た。領内にはラウレイオン銀山（先史時代からＢＣ1世紀頃まで採掘）があり、銀貨幣を発行し、経済的にも他を圧していたのである。

①市民の範囲

プラトンが唱えるようにポリスの範囲は、市民がお互いに知りうる程度の大きさが望まれ、戦争等で国民が増えても市民の数は増えないような配慮がなされた。ペリクレス（将軍在位：

ＢＣ４４４年～ＢＣ４３０年）の時代、アテネ市民は両親ともアテネ出身の必要があり、したがってマケドニア人の哲学者アリストテレスはアテネ市民にはなれなかった。このためマケドニア王フィリッポス２世による王子アレクサンドロス（大王）の家庭教師の依頼を受けると、マケドニアに戻ったのである。しかし交易が盛んなアテネは魅力溢れる都市であり、外国人も数多く活躍した。

②教育・兵役

アテネはスパルタと比較して、開放的であった。7歳くらいから公立学校で読み書きソロバン、詩文の朗読・暗唱、音楽を習った。文芸を重んじたのは守護神アテナイの影響であろう。12歳になってから午後にギュムナシウム（体育教育施設）に入所。これらの教育は強制的ではなく、任意であった。従って生活の苦しい家庭の子供は親の仕事を手伝い、学校に行けないものもいた。18歳になると成人として兵役訓練を受け、20歳まで兵役見習いをした。市民＝戦士であったのだ。兵役を受ければ、「読み書き」はできたはずである。55％も市民家族が占めていたので、アテネの読み書き能力は他ポリスを圧倒していたであろう。50歳までは現役で、それ以降は予備役である。兵役見習い期間以外は、自宅で過ごす事ができた。

③民主政

●「デモクラシー」はギリシア語で「国民主権」等の意味がある。古代ギリシアの民主主義は、寡頭制（少数派支配）に対する人民支配（民衆支配、多数派支配）であり、法の支配、自由、自治、法的平等などの概念と関連していた。しかしその後は衆愚政治を意味するようになった。

●アテネは王政から貴族政に移行後、貴族のアレオパゴス会議（元老院）による支配が行われ、民会の権限は限定的であった。ＢＣ7世紀に貴族による法知識の独占が崩され、貴族と平民は抗争するようになり「ドラコンの立法」で平民は法廷に守られるようになった。さらにＢＣ6世紀初めの「ソロンの改革」によって両者の争いが調停され、平民が借財により奴隷への転落等を防止する措置が執られ、民主政の法的整備が進んだ。ＢＣ6世紀中頃、ペイシストラトスによる僭主政が現れたが、ＢＣ５０８年の「クレイステネスの改革」で、従来の血縁による部族制から居住区（デーモス）制へ移行し、五百人評議会の設置、陶片追放の創設など、民主政の基礎を確立した。平民が重装歩兵集団の中核となって軍事力を担っていたため、発言力を得た。重装歩兵の装備（槍と盾は自給）を用意できない低・中産階級の市民は、櫂船の櫂手として海軍力を担い、「サラミス海戦」以降、発言力を増した。さらにペリクレス等がアレオパゴス会議の権限を剝奪した。

●しかしソフィスト等の批判で民衆裁判によりソクラテスが処刑されると、弟子のプラトンは、民主主義は衆愚政治になっていると考え、哲人政治（哲学を学んだものに権力を与えることによって、私心無き独裁統治）を提唱した。国が衰えると、その衰退の原因を考える学者が数多く出てくることは、世の常である。またアリストテレスは著書『ポリテイア（国制）』で「等しいものを等しく扱う」事が正義の本質とし、市民間の平等と相互支配（政治的支配）を重視したが、主人の奴隷に対する支配（主人的支配）や親の子に対する支配（王政的支配）は擁護した。アテネを含む古代ギリシア衰退後は、民主主義（大衆支配）は合理的な統治形態ではない、と考える時代が長く続いた。

④アテネの政体と民会・民衆／弾劾裁判

●政体を図表5－1に示す。任期1年の9人のアルコン（最高官）で構成される内閣が中心であり、裁判官はアルコン経験者で構成され、内閣や公務員への登用は階級によった。民会で討議される草案は、五百人評議会で既に作成されており、民会はこれを討議し多数決で決定した。民会への提案権のある五百人評議会は、アテネの10デーモス（区）から50人抽選で選ばれた委員で構成され、委員の能力の有無は考慮せず、したがって評議会の有効性に問題がある。

●民会は年に40回程度開催されたと考えられ、他国に対する宣戦布告、兵士や艦隊の派遣、他国との同盟・講和条約の締結等の事項は「重要民会」で審議された。また、将軍（10人、再任可能）や財務官などの要職選挙や、弾劾裁判、陶片追放の投票等を行った。１年交代のアルコンより再任可能な将軍の方が重視されるようになった。弾劾裁判と下記、民衆法廷の境界はよく分からないが、弾劾裁判は民会で選ばれた将軍等公人が対象であった。ソクラテスは私人であったので民衆法廷で裁判を受けた。

●ＢＣ５世紀末より、民衆法廷では６０００人程度（基本５００人×10組の法廷があり、残り１０００人は予備。次のソクラテス裁判は５０１人。裁判内容の軽重で陪審員の増減をした。ＢＣ４３０年のペリクレス裁判は１５００人）の陪審員がいた。買収を非常に恐れ、裁判対象は当日に抽選で陪審員に明らかにされたため、事前買収は困難であった。陪審員に軽作業の日当に相当する０・５ドラクマの手当が支給された。我が国の裁判員制度は、裁判員６名と

<table>
<tr><th colspan="6">アテネの政体（ソロンの改革以降）</th></tr>
<tr><th>等級</th><th>財産区分</th><th>義務</th><th>権利</th><th>五百人評議会</th><th>民会・民衆裁判</th></tr>
<tr><td>1</td><td>20トン以上の小麦生産の土地所有</td><td rowspan="2">騎士/重装歩兵</td><td rowspan="2">アルコン選出・高級官僚</td><td>参加</td><td>参加</td></tr>
<tr><td>2</td><td>12トン以上……</td><td>参加</td><td>参加</td></tr>
<tr><td>3</td><td>８トン以上……</td><td>重装歩兵</td><td>下級官僚</td><td>参加</td><td>参加</td></tr>
<tr><td>4</td><td>８トン以下……</td><td>水夫・軽装歩兵</td><td></td><td></td><td>参加</td></tr>
</table>

図表5-1　アテネの政治形態

アルコン職は任期１年再任無し。後に４級市民も可。

裁判官3人、合計9名で構成される。非常に少ない人数である。民会・民衆法廷・五百人評議会等の出席に日当が払われたようであるが、手当を目当てで出席した数多くの人々は、正しい判断ができたのか？　投票／裁判権は平等で市民の発言が自由となると、2万人参加可能な民会会議場・プニュクス（有権者数約4・3万人）の出席有権者や、500人余りの陪審員は、教育をあまり受けず、日当を目当ての市民も数が多くなる。そうすると雄弁者（デマゴーグ）の言動に振り回され衆愚化した。次に衆愚の結果、「アルギヌサイ海戦」の6将軍とソクラテスの死刑が良い事例であるので紹介する。

●BC406年のスパルタに対する8将軍が出陣した「アルギヌサイ海戦」で、大勝利の後の嵐により、大量遭難した。その責任追及の弾劾裁判で、2人が逃亡、6人が死刑となり、アテネ海軍は人材を失い、BC404年に無条件降伏となってしまった。ここでよく理解できないのは、死刑判決の判断をする陪審員は市民である。アテネは市民皆兵であり、18歳から2年間の兵役があり、軍隊は「将軍から一兵卒に至る組織」が重要であることを、叩き込まれているはずである。市民兵＝陪審員が、自ら将軍のいない軍隊組織にしたのである。次に示すBC399年のソクラテス裁判は有名であるが、アテネの衰亡には「アルギヌサイ海戦」の弾劾裁判の方が影響は大きかったのだ。

●ソクラテス裁判はBC399年に行われ、陪審員は501人いた。第1回目の評決で「不敬と成年の腐敗」に対する罪として有罪280、無罪221であった。次に有罪の場合は、死刑・国外追放・罰金刑の刑があり、原告・被告は弁明する。ソクラテスは、「何人にも善良かつ賢明になるよう説得することに努めてきた一人の貧しき国家功労者が受けるべき賞罰は、良きものであるべきであり、プリュタネイオン（迎賓館）における食事がふさわしい」と弁明。有罪なのに不遜な弁明と、心証を害した陪審員は死刑３６０、無罪１４１と反ソクラテスの評決をしたのである。蒙昧な陪審員を衆愚化させる一言で決まったのだろう。

●衆愚政治・裁判で「自らの首を絞めた」アテネは、民主政の改革を行い、貿易振興とともに国力の回復に努めたが、スパルタ・テバイ・マケドニアの戦力には抵抗できず、ＢＣ３３８年のカイロネイアの戦いで敗れマケドニアに従属させられ、民主政はついえた。いくら良い政治でも、武力に敵わなかったのである。

●アテネの衆愚政治の改良が図表５−２に示す古代ローマの共和政で、投票権を階級ごとに重みづけをし、間接選挙として部会の会派票数は１８３であった。アテネの人口約32万人、有権者数４万３０００人程度。ローマ市は人口１００万人程度で、票数は

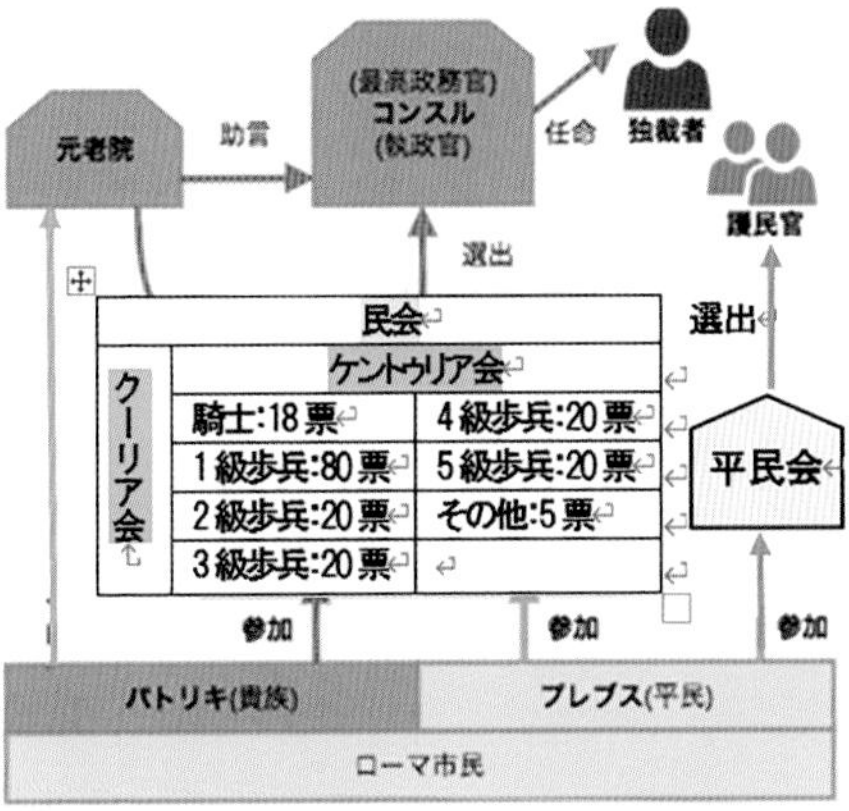

図表5-2　古代ローマの政治形態

183。アテネがいかに衆愚し易いかが分かる。

●図表5-3に示す民会の開催地・アゴラはポリスにおける重要な公共空間(裁判所・貨幣鋳造所・民衆裁判所・将軍会議場・当番評議員会議場・迎賓館・五百人評議会場・アポローン神殿・ゼウス柱廊・十二神祭壇等)・市場の広場であり、ローマ時代のフォルムに相当する。民会は、後にプニュクスに移されるまでは、ここで開かれた。

●プニュクスは世界初の民主的立法府で、平らな岩の演壇がある民会が会議を開催した場所。ここでは以下の3原則を実践した。

✧「イセゴリア:言論の平等」あらゆる市民が政治方針について発言する

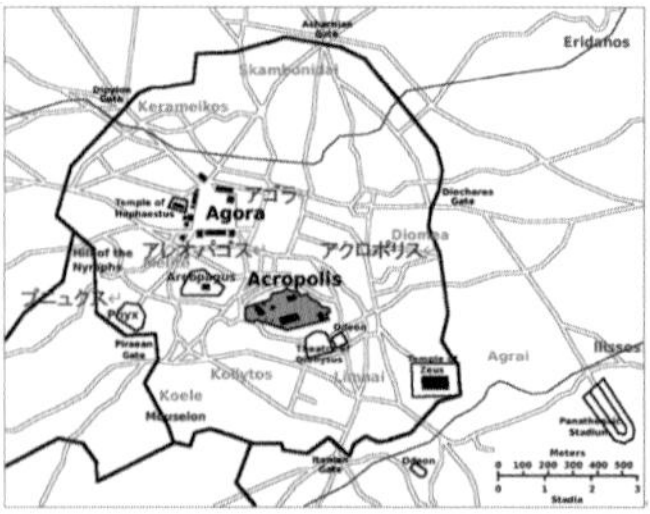

古代アテネ位置図

アゴラ全景、遠景はアクロポリス

アレオパゴス(元老院議場)

プニュクスの演壇

図表5-3　古代アテネの行政・司法・立法の中心地

平等な権利を有する。
✧「イソノミア：法の下の平等」投票における平等。
✧「政治に携わる機会の平等」

２ スパルタ

●ＢＣ12世紀にピンドス山（ギリシア北部とアルバニア南部に連なる山地）あたりから移動したドーリス人は、他のギリシア諸種族の移動を誘発しながらペロポネソス半島一帯を占拠し、先住ギリシア人と共存して定住した。伝説では、ＢＣ１１０４年にエウリュステネスが建国したとされる。ドーリス人の一派のスパルタ人は、エウロタス河畔（ラコニアの主要河川）に居を定め、自らを強固な支配身分の共同体として結合し、他の従属的な諸身分を抑える戦士団の共同体をつくった。スパルタ人が支配する従属民には、ヘイロータイ（奴隷身分）とペリオイコイ（自由民身分で参政権なし）があった。スパルタは周辺を征服する過程で、ＢＣ７世紀からＢＣ６世紀半ばまでに「リュクルゴスの制」といわれる軍国主義体制を作り上げた。クローレス（分割地）の平等を旨とした分割、売買禁止が基本で、土地はだんだん小型化したが、ギリシア第１位の９０００㎢にも及ぶ領土を保持していた。したがって植民地進出（ターラントのみ）の要求は少なかった。
●スパルタは軍国主義のため市民（約１万人）は、ポリス内部では少数の支配層であり、一切の生産労働から解放され、政治と軍事に専念する戦士集団であった。『山川 詳説世界史図録』によれば、前記したように全人口15万人程度。市民6・7%、ペリオイコイ（周辺民）22・2%、ヘイロータイ（奴隷農民）71・1%であった。

●彼らは重装歩兵として武器を独占してペリオイコイ、ヘイロータイ（約14万人）を支配したが、数の上では少数であり、また頻繁にヘイロータイの反乱に悩まされていた。このため軍事力を維持強化するために、厳しい軍国主義を採用し、子供たちには国営の「スパルタ教育」が行われていた。すなわち虚弱な出生児の遺棄。7歳から18歳までの軍事集団生活。18歳から20歳まで軍人見習い。その後30歳まで軍人としての集団生活を送っていた。30歳以降初めて寄宿舎以外に家を持てた。60歳までが現役で、夜には寄宿舎で寝なければならなかった。そして反乱を企てるような有力ヘイロータイの暗殺を奨励した（クリュプテイア：20歳の卒業記念に危険ヘイロータイの首一つを義務付けたとの事？　実情はよく分からない。卒業記念に首一つではあまりに多くのヘイロータイ殺害になってしまう）。常時戦場の構えとはいえ60歳まで夜は寄宿舎で寝るとは、娯楽・憩いはどうしたのかと思ってしまう。軍事大国スパルタは、他のポリスのようには城壁を築かなかった。軟弱を嫌い、金銀貨幣を禁止し、鉄貨幣のみの使用として、外に対しては、鎖国政策をとった全体主義・国家主義であった。一方、アテネは個人主義・享楽主義であり、スパルタにはスコーレ（閑暇）の思想はなく、文化が育たなかった。

●スパルタの政体は、2人の王と28人の60歳以上の長老市民で構成される長老会議があった。30〜60歳の全市民が参加権利のある市民集会が中心で、監督者として、年に1度市民集会で選ばれた5人のエフォロイ（監督官）が監督をした。

3 アテネとスパルタの比較と抗争

図表5－4にアテネ・スパルタの比較表を示す。ともにポリスとしては例外的に広い領域を支配した。

アテネの出身母体のイオニア人は、知覚的な情報を元に、自然・万物の根源を意味する「アルケー」を様々に考察した自然哲学の嚆矢として知られる。ミレトス学派に括られる初期の自然哲学者であるターレス（測量・天文学）、アナクシマンドロス（自然哲学者）、アナクシメネス（自然哲学者）等の人々がいた。ホメロスの出身地はイオニア（キオス島）と言われている。サモスのテオドロス（彫刻家、建築家）、ピタゴラス（数学・哲学者）等がいて、文化面で優れていて、西欧文化・文明の源である。

一方、スパルタは軍事に集中し、文明文化面では見るべきものはない。

図表5−4　アテネ・スパルタの比較

	領土	人口・構成	政治形態・軍備	教育	通貨・貿易
アテネ	2400㎢。我が国で5番目に小さい神奈川県並	全人口31・5万人（市民家族55%。奴隷36%。外国人9%：BC431年時点）	●内閣：任期1年の9人のアルコンで構成。 ●10人の将軍職は再任可。 ●裁判官はアルコン経験。 ●市民は財産で階級分け。投票権均等。 ●五百人評議会があり衆愚政治となった。 ●被選挙権は階級による。 ✧**海軍主体**	●守護神アテナイの影響で文芸重視。 ●スコーレ（閑暇）を大事にする。 ●出生時の「篩分け」や7歳からの合宿・寄宿舎制度はない。 ●図表5−7に示すように、学校で読み書きソロバン、詩文朗読・暗唱、音楽を習う。公立教育。12歳から午後にギュムナシウムに通う。任意。 ●18歳で兵役訓練を受け、20歳まで兵役見習い。50歳までは現役で、それ以降は予備役。兵役見習い期間以外は、自宅で過ごす事ができた。	**銀貨を使用。海外貿易盛ん。**

スパルタ	９０００㎢	全人口15万人程度：市民６・７％（男のみ。１万人程度）。ペリオイコイ（周辺民）22・２％ ヘイロータイ（奴隷農民）71・１％	●２人の王と28人の60歳以上の長老市民で構成の長老会議。●30～60歳の全市民参加の集会が中心。●年に１度市民集会で選ばれた５人のエフォロイ（監督官）が監督。 ✧**陸軍主体**	●虚弱な出生児の遺棄。●７歳から18歳までの軍事集団生活。18歳から20歳まで軍人見習い。卒業記念に有力ヘイロータイの首切り。30歳まで軍人としての集団生活。●30歳以降初めて寄宿舎以外に家を持てた。60歳までが現役、夜には寄宿舎で寝る。	**鉄貨を使用。鎖国状態。**

両国とも軍事大国であったが、アテネが海軍主体に対してスパルタは陸軍が強大だった。海軍の主力櫂手は財産の少ない４等級市民、陸軍の主力は重装歩兵の装備ができる３等級市民であった。

スパルタはＢＣ５０５年にペロポネソス同盟を結成し、アテネはペルシア戦争後のＢＣ４７８年にデロス同盟を結成した。同盟国の範囲を図表5-5に示す。

アテネはＢＣ４５４年にデロス同盟の金庫を、デロス島からアテネに移して同盟支配を強めると、スパルタとアテネの関係は悪化した。具体的には他のポリスに対して守護女神アテナイに対する貢納金という形で課税したり、同盟内では市民権を有するのはアテネ市民のみで他のポリス市民は外国人として扱ったりして、アテネは「アテネ帝国」と言われる覇権を築いた。スパルタはデロス同盟の結成に反対はしなかったが、アテネの強大化が進むにつれてその関係は悪化し、ペロポネソス戦争（ＢＣ４３１年〜ＢＣ４０４年）へと発展した。

①ペロポネソス（スパルタ対アテネ）戦争

元々は、アテネの膨張に対するペロポネソス同盟側の自衛戦争であった。ＢＣ４３１年、スパルタ王アルキダモスの率いるペロポネソス同盟軍は、アテネの本拠であるアッティカに侵入し、ペロポネソス戦争が始まった。アテネの防衛に当たったペリクレスは籠城作戦を採り、守りを固め

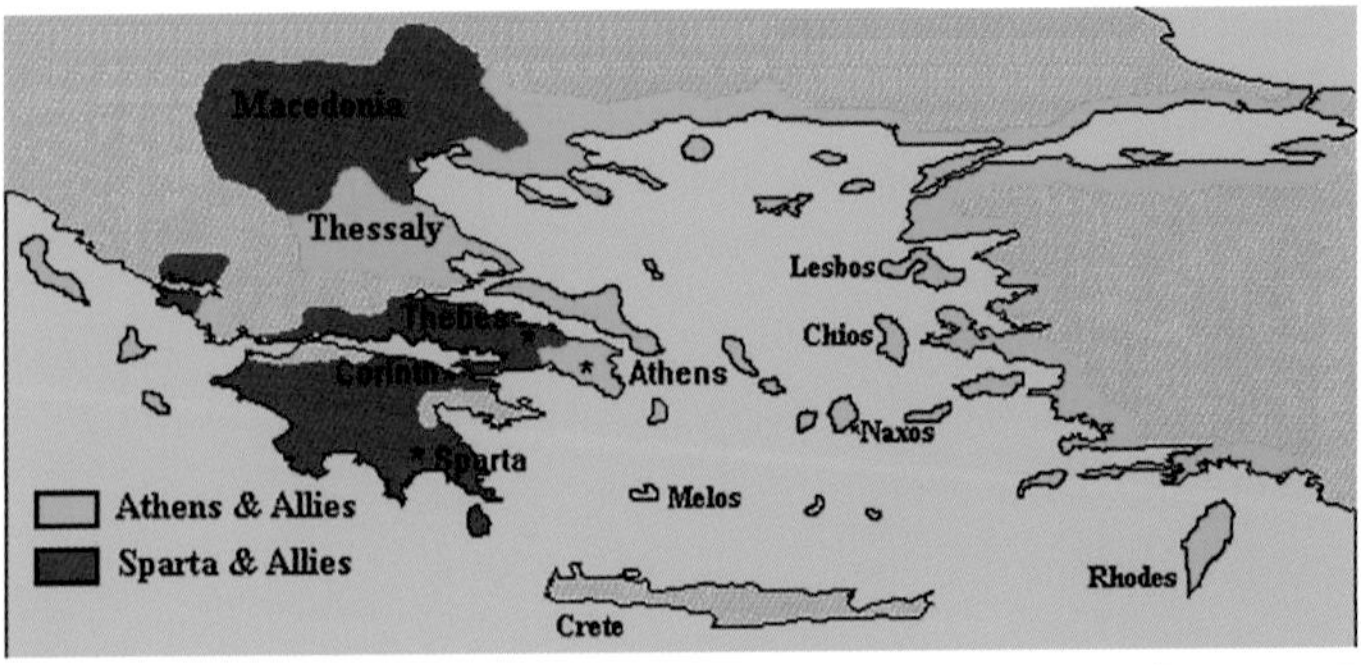

図5-5　デロス同盟国（BC478年〜BC405年）とペロポネソス同盟国（BC６世紀末〜BC366年）

たが疫病（ペストと想定）が大流行してＢＣ４２９年、ペリクレス自身が死去し、アテネは危機に陥りながらも持ちこたえていた。両国は戦争に疲れ、ＢＣ４２１年に一時的な講和が成立（ニキアスの平和）した。

❶シケリア（シチリア）遠征（BC415年~BC413年）

アテネの主戦派アルキビアデス（ＢＣ４５０年頃~ＢＣ４０４年）が主導権を握ると海軍力に依存し、親スパルタのシチリア島に進出し、スパルタ包囲網を形成しようとしたが、この作戦は失敗した。この時スパルタは、ペルシアの援助を受けて海軍の編成に着手、形勢を好転させたのである。

アルキビアデスは、プラトン著『アルキビアデスⅠ・Ⅱ』に取り上げられるほど才気煥発・弁論爽やかで血統が優れた貴族。アテネから出撃前に市内の多数のヘルメス像の首が切断される事件があり、アルキビアデスは首謀者と疑われ、シチリアへの航海中に裁判所への召還命令が出た。死刑宣告の恐れがあるため、彼は遠征軍から逃亡、亡命先は敵対国スパルタである。前記した「サラミス海戦」の立役者テミストクレースはペルシアに亡命。敵国亡命はアテネの得意技なのか？　面白いことである。残った遠征軍は和平派のニキアスと中立派のラマコスが指導したが、企画者逃亡で士気は落ちたであろう。遠征軍は2次にわたり3段櫂船２０７隻、陸戦兵士1万１０００人以上の大兵力であったが、シラクーサ軍に対してスパルタ・コリントスが援軍を送り、アテネ軍は捕虜か戦死かの完敗であった。この後、アテネは坂道を転げるように衰退する。

シケリア遠征の首謀者アルキビアデスがヘルメスの首切断の事件を起こすはずもないし、**アテネ艦隊の司令長官アルキビアデスを行軍中に、アテネ召還はあり得ない話である。**例えば真珠湾攻撃を企画した連合艦隊司令長官山本五十六大将をハワイ目前で、裁判をするので帰還せよと命令するようなものである。

ちなみにアルキビアデスは恨みからか無条件降伏の年に、暗殺される。

❷黒海からの穀物運搬ルート上の「アルギヌサイ海戦」と「アイゴスポタモイ海戦」

もっと悲惨なのは、前記したBC406・BC405年のエーゲ海東方で起きた図表4-3に示す「アルギヌサイ海戦」と「アイゴスポタモイ海戦」である。アテネは、「アルギヌサイ海戦」では、シチリア遠征で壊滅した海軍を立て直し、150隻を超える3段櫂船を揃え、奴隷も水夫として招集し、8人の将軍指揮のもと、120隻のスパルタ海軍に挑んだ。損失は、アテネ25隻、スパルタ70隻と、アテネの圧勝であった。しかし敵船追撃中に大嵐に襲われ、多くの船が遭難し、兵士の救助を十分しなかったと、弾劾裁判にかけられ、2人の将軍は逃亡、残りの6人の将軍は死刑となった。8人の将軍消失である。その中にはペリクレスの息子もいた。この裁判はシケリア遠征軍全滅がトラウマとなり、衆愚化したアテネ市民が1隻の船、1

人の兵士の損失も声高に非難した結果であろう。この裁判でソクラテスは無罪を主張したとのことである。

次の「アイゴスポタモイ海戦」ではアテネ軍は３段櫂船１８０隻を出動させたが、有能な将軍はおらず１７１隻の船艇が拿捕される悲惨な結果となった。その理由はアテネ船艇の乗組員が食糧調達のため上陸中にスパルタに乗っ取られたとの事。茶番劇のような話である。**指揮者のいない「烏合の衆」となったアテネ艦隊が、スパルタによる「一網打尽」の結果である。このためアテネは、スパルタ軍による兵糧攻めで、無条件降伏となってしまった。**アテネは、在外資産と海外領のすべてを失い、ピレウスとアテネを結ぶ長城の破壊と、領土はアッティカとサラミスだけに限定され、独立を保ったが、ギリシアにおける覇権は失われてしまった。

アテネ軍は「マラトンの戦い」が示す将軍10人のように、「船頭多くて船山に登る」状態であったが、船頭（将軍）を死刑にしたら、船山に登るどころか、３段櫂船群は右往左往で、敵船の餌食になることが分からなかったようである。衆愚政治の結果である。

この結果、スパルタの覇権が成立して戦争が終わったが、ギリシア国土の荒廃とともに、ペルシア帝国介入の口実を与え、ポリス民主政に支えられたギリシアの繁栄を終わらせる契機となった。

②コリントス戦争（スパルタ対アテネ・テバイ・コリントス等連合軍。BC395年〜BC387年）とスパルタの衰退

スパルタはペロポネソス戦争で、ギリシアの覇権を握ったが、スパルタによるギリシア統一を恐れたペルシアは、一転してアテネ・テバイ・コリントスなどに資金援助をして、スパルタとのコリントス戦争を起こさせた。この戦争は決着がつかず、ペルシアの仲介で和睦した（大王の和約）。その後、ギリシアではテバイが台頭し、スパルタはBC371年に敗れて衰退する。

③マケドニアのコリントス同盟（BC337年）とスパルタ

カイロネイアの戦い（BC338年）で、アテネ・テバイ連合軍を破ったマケドニアのフィリッポス2世は、ギリシア諸国（スパルタを除く）との間でコリントス同盟を結成し、スパルタを除くギリシアの覇権を握った。スパルタは、元最強陸軍国の自負から、マケドニアの支配に服しなかった。フィリッポス2世暗殺でコリントス同盟の盟主がアレクサンドロスに代わっても同様であり、スパルタにとってアレクサンドロスが東方遠征（BC334年〜BC323年）に向かったことは、チャンスであった。

BC331年夏、スパルタ王アギスは、ペルシアの支援を受けて反マケドニアの挙兵に踏み切った（アギスの蜂起）。アレクサンドロスがギリシア防衛のために残しておいたアンティパ

トロス軍は、数の上では劣っていたが、海上勢力で勝り、さらにアテネがスパルタに加勢しなかった。ＢＣ３３０年、マケドニア・ギリシア連合軍４万がペロポネソス半島中部のメガロポリスでスパルタ軍と対決、スパルタは大敗となった。

２ なぜアテネの文化が後世の西欧文化として、継承されたのか？

１ アテネの「知」の根源

●ギリシアの人々は、第1編に示すようにオリンポスの神々が好きである。競争・文芸等あらゆる神様がいる。海外に植民すれば、まず神々を祭る神殿を造り、神様のお祭りのための劇場や競技場を造った。このために建築技術・文明が発達したのである。

●アテネの守護神アテナイは知恵、芸術、工芸、戦略等の神様で、市民はアテナイを敬愛し、4年に1度のパンアテナイア大祭では、陸上競技、詩歌・音楽等の競技が催された。また豊穣とワインと酩酊の神ディオニュソスも崇めて、ディオニュソス劇場を造り、毎年ディオニュソス祭りを盛大に催して歌舞演劇が盛んであった。アテナイ・ディオニュソスがいなければ、体育・文芸はだいぶ変わったものになっていたであろう。特に文芸については、祭典の際に演劇のコンテストが行われたり、ペリクレスの時代、観劇手当が支給されたりしたことが、発展に大きく寄与した。そして、「アテネの知」の継続は、アテネにラウレイオン銀山の富があり、スパルタのような鎖国政策でなく、海洋民族として交易で富を得たとともに、世界各地の「知」に触れることができたことが大きい。また建築については、神殿等に使用された素晴らしい白大理石がアテネ近郊のペンテリコン山に産し、建築家の意欲を掻き立てたのである。このようなバックグラウンドのもとにアテネの文明が花開いたのである。

●神々尊崇から花開いたアテネの文明は、ソクラテス（BC470年頃〜BC399年）、プラトン（BC427年頃〜BC347年）、アリストテレス（BC384年〜BC322年）らによる哲学教育により体系化・継続された。その根幹は、スコーレ（閑暇）とシンポジオン（共に飲食し議論をする）である。

●プラトン著『饗宴：シンポジオン』は、エロス（愛）について、寝椅子に横臥して、ワインを飲みながらの議論である。元来「共に飲む」ことを意味するシンポジオンは、『饗宴』の中で「それはワインが出てから始まるのであるが、その酒は食事が終わってから飲む習慣であった。それはまた陽気な会合において寛いで気持よく飲むことである。……総じてギリシア人の間にはホメロス時代（BC8世紀頃）以来飲み食いは、単に肉体の栄養であるだけでなく、同時に精神の糧でもあるという考えが行われていた。……彼らがいかに食卓における条理ある談話を愛好したか」と記している。ちなみに饗宴の参加者はソクラテス・アルキビアデスを含めて10人であった。アテネの人々は、ワインを飲み議論することを好んだ。その議論が哲学の重要要素の修辞学（弁論・演説・説得の技術に関する学問）を生んだのである。

プラトン・アリストテレス共に共同食事／シンポジオンを有用なものと評価していた。そして飲食は、図表５－６に示すように寝椅子で行われた。寝椅子で多飲となるとすぐ寝てしまうのではないだろうか。ギリシア・ローマの時代に水割りワインがはやったのは、居眠り防止のためでもあったのだろう。

●ローマ時代、帝政ローマの実質的創始者カエサルはロドス島に遊学したり、同時代最大の弁論家・文筆家・哲学者そして政治家のキケロ（ＢＣ１０６年～ＢＣ43年）は21～23歳の時、アテネ等ギリシアを遊学しアカデメイアの講義に出席したりした。そして『アカデミカ（アカデミック懐疑論）』を発表している。さらにギリシアかぶれと言われ、哲人皇帝とも称された14代ローマ皇帝ハドリアヌス（在位１１７年～１３８年）は３回、足掛け11年間の領内巡行を行っているが、その間ギリシア、特にアテネに足掛け５年間、実際の滞在期間は分からないが滞在している。そのぐらいアテネが好きで、ハドリアヌス図書館・ゼウス神殿・凱旋門を建設させている。また最後の「異教徒皇帝」と言われたユリアヌス帝（副帝から皇帝：在位３５５年～３６３年）は幾度かアテネで勉学したことが知

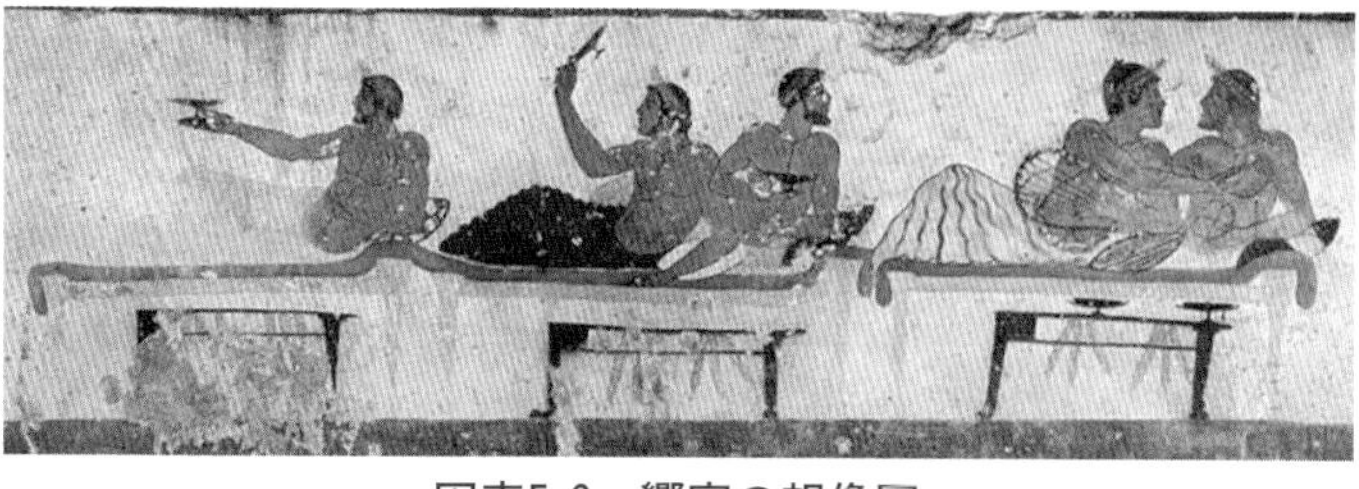

図表5-6　饗宴の想像図

られている。このくらいローマの政治家は、アテネから大きな影響を受けていたのだ。

2 アテネの黄金期を創ったペリクレス

BC480年、ペルシア軍がアテネ市街を破壊したので、ペルシア軍撤退の後、街とアクロポリスの再建の際にディオニュソス劇場が造られ、歌舞演劇がアテネの文化の重要な位置を占め、黄金期を迎える。BC438年に完成したパルテノン神殿は「アテネの美」の象徴である。

●ペリクレス（BC495年〜BC429年）はBC444年〜BC430年まで、民会において将軍職（ストラテゴス）に重任され、アテネの大国化と民主化を進めた。ペリクレスは、クレイステネスの民主政をさらに発展させ、民会を最高機関とする民主政治の徹底を図り、役職への日当制、抽選制などを施行して、市民の範囲を明確にした市民権法を定めた。しかし公金横領の疑いで弾劾されたが、無罪であった。

●ペリクレスの名言として、「アテネの住民は私的な利益を尊重するが、それは公的利益への関心を高めるためでもある。なぜなら私益追求を目的として培われた能力であっても、公的な活動に応用可能であるからだ」「アテネでは政治に関心を持たない者は、市民として意味を持たないものとされる」等があり、私権を制限したスパルタと大きな差異があった。

●ペリクレスは友人の彫刻家フェイディアスらに命じて、焼失したパルテノン神殿をあらたに造営した。建築や彫刻、演劇、ソクラテス以下の哲学などギリシア文化がアテネを舞台に展開された。毎年3月に行われたディオニュソス神の祭典では、演劇が上演され、３大悲劇作者といわれるアイスキュロス・ソフォクレス・エウリピデスや、喜劇作者アリストファネスなどを輩出した。

3 ソクラテス・プラトン・アリストテレス

ソクラテス、プラトン、アリストテレスは西洋最大の哲学者とも言われ、彼らがアテネを中心に教育活動した時期は、ペロポネソス戦争後のアテネのむしろ衰退期である。衰退の原因を探り、再興を目指した活動なのではないだろうか。その範囲は、数学・生物学・天文気象学・工学等に及び諸学を網羅して限界が分からないほど、広いのである。現在の西洋哲学は「生の哲学」「現象学」「構造主義」「分析哲学」に分別できると言われている。

●ソクラテスの弟子・プラトンはＢＣ３８７年頃、アテナイ北西部のアカデメイア神域に学園「アカデメイア」を、同じくプラトンの弟子・アリストテレスはＢＣ３３５年にリュケイオン神域に「リュケイオン」を設立した。両学園共に世界有数の研究機関・学園として５２９年、東ローマ帝国皇帝ユスティニアヌス1世の非キリスト教的学校閉鎖命令まで活動をした。ユスティニアヌス1世はユスティニアヌス法典を編纂し、この際、学園の閉鎖を指示した。両学園の閉鎖に伴い、ギリシアの学者や文物・科学がイスラム社会に流入した。その発展形が８３０年、アッバース朝の第7代カリフ・マアムーンがバグダードに設立した図書館まず「知恵の館」であり、各種書籍のギリシア語からアラビア語への翻訳が中心に行われた。また、ルネサンス期のフィレンツェにおける「プラトン・アカデミー」は、メディチ家と人文主義者の私的サークルであり、ルネサンスの契機ともなった。いずれにしろギリシアの「知」が時代とともに世界各地に伝わり、洗練・集積され、中世の文化・文明に大きな影響を与えた。具体的にはオペラ・彫刻等である。フィレンツェのバルディ伯爵邸で「アポローンとダフネ」の神話で有名な『ダフネ』を、1597年に初演したのがオペラの始まりと言われている。また1504年公開のミケランジェロ制作のダビデ像は、ギリシアの美を伝えるルネサンスの象徴となっている。

●彼ら3大哲学者は、アテネ市民（アテネ以外でも来るものを拒まず）を教育した。学園への授業料は無料であり、学生は衣食住費用が自前であったので、ある程度豊かな市民が対象となった。基本的に男性であるがプラトンが学長の時に女性が2名在籍していた。学園への在籍期間に規定はないが、アリストテレスは17歳から20年間アカデメイアに在籍。学園は学長・主事・研究員・学生で構成されていた。学生の数は分かっていない。学園開設時はシラクーサの僭主やマケドニア王家の援助があったが、学園は途中中断もありながらも、900年間も続いたことは、学園の目的がアテネ市の方向性と合致して、アテネ市・有力市民の援助があったのであろう。教育・研究の趣旨は以下の2項目である。

a　17歳以上のある程度素養のある市民に、戦士としての教育を授けている。戦士に不可欠な素養とは、運動能力・計算能力・憩いとして神々を敬うための音楽・芸術である。

b　研究として、市の執行部となる市民の教養を高めるための哲学・自然学等の研究を行っている。

①ソクラテス

ソクラテスは著作がなく、弟子のプラトンが言行を著作で紹介している。彼は重装歩兵としてペロポネソス戦争に参戦経験もある。BC399年のソクラテス刑死は、『ソクラテスの弁明』に記載はないが、多分、前記した弟子アルキビアデスの行状が影響したのであろう。

②プラトン

●プラトンは、ソクラテスの弟子にして、アリストテレスの師に当たる。青年期はアテナイを代表するレスラーとしても活躍し、イストミア大祭に出場した。著作の大半は対話篇という形式を取っており、一部の例外を除けば、ソクラテスを主要な語り手としている。

●BC387年頃、「アカデメイア」を開設した。体育を愛するプラトンは、学園をギュムナシウムの隣に創った。体育・知育を重んじていた表れであろう。算術、幾何学、天文学等を学び一定の予備的訓練を経てから理想的な統治者が受けるべき哲学を教授した。その教育カリキュラムを図表5−7に示す。ここで幾何学は、感覚ではなく、思惟によって知ることを訓練するために必須不可欠のものであるとの位置付けで、学校の入り口の門には廣川著『プラトンの学園アカデメイア』に「幾何学を知らぬ者、くぐるべからず」との額が掲げられていたと記している。

●神域アカデメイアにはプロメテウス・ヘルメス・ヘラクレス・ムーサ等の神々の祭壇があった。プラトンが詩歌・演劇・音楽を重視していたのは、ムーサの女神の祭壇があったためかもしれない。

●プラトンは、下記の著作集を出版していて、ソクラテス等との対話形式を取っている。『ティマイオス：自然』はプラトン唯一の自然科学を取り扱った書で、アトランティス伝説、デミウルゴスの宇宙創造、宇宙霊魂、リゾーマタ（古典的元素）、医学等を記述している。神話的な説話を多く含む。後世へ大きな影響を与えた著作を以下に示す。

『エウテュプロン：敬虔・敬神』『ソクラテスの弁明：神を冒涜した罪との裁判に対するソクラテスの弁明』『クリトン：行動（実践）』『パイドン：魂の不死』『クラテュロス：名前の正しさ』『テアイテトス：知識』『ソピステス：存在』『政治家：王者の統治』『パルメニデス：イデア』『ピレボス：快楽』『饗宴：エロース』『パイドロス：恋』『ヒッパルコス：利得愛求者（欲深者）』『テアゲス：知恵』『カルミデス：節制』『ラケス：勇気』『リュシス：友愛』『エウテュデモス：論争家』『プロタゴラス：ソフィストたち』『ゴルギアス：弁論術』『メノン：徳』『ヒッピアス（大）：美』『ヒッピアス（小）：偽り』『イオン：「イーリアス」につい

て』『メネクセノス：戦死者のための追悼演説』『クレイトポン：徳のすすめ』『国家：正義』『クリティアス：未完。アトランティスの物語』『ミノス：法』『法律：立法』『エピノミス：哲学者』

上記の著作について、イギリスの数学者・哲学者ノース・ホワイトヘッド（1861年〜1947年）は、「全西洋の哲学はプラトンの脚注にすぎない」と言い「プラトンの哲学的着想は哲学のあらゆるアイデアをそこに見出しうるほど豊かであった」と絶賛している。

プラトンの学園での勉学の目的を『国家』・『法律』に記している。学問は市民＝戦士に不可欠な項目であり、戦士に幾何や計算が必要であること、さらに国の守護者は哲学を学び、計算技術が不可欠と記している。以下にその内容を記す。

❶国の守護者の任務

『国家・第7巻・8』に「国の守護者は、まさに戦士にしてまた哲学するものなのだ。……国家において最も重要な任務に将来参与すべき人々を、計算の技術の学習へ向かうように説得する」。

❷哲人統治者教育のカリキュラム

『国家・第7巻・557頁欄外』に「算数・平面幾何学・立体幾何学・天文学・音楽理論が必

須の予備学問として学習されなければならない」。「17・18歳～20歳までの2・3年間の強制的体育訓練（兵役）が課される。次に20～30歳の期間に、……数学的諸学相互の内的結びつきを全体的立場から総観する力を獲得するように努める。30～35歳の期間に、選ばれた者たちのみが、哲学的問答法の学習と研究を許される。そして50歳に至るまでの15年間は公務について経験を積む。最後に50歳以降は、少数の最優秀者たちが全存在の究極原理である『善のイデア』の認識に到達し、この後、交替に哲学研究と国政の任に当たる」と記している。再記するが図表5－7にカリキュラムを示す。

❸戦士の習得すべき学問等

戦士の教育のための内容を記している。

●『国家・第7巻・6』に「われわれが求めている学問は……戦士たちに無用なものではあってはならぬということだ。……彼らは体育と音楽・文芸によって教育

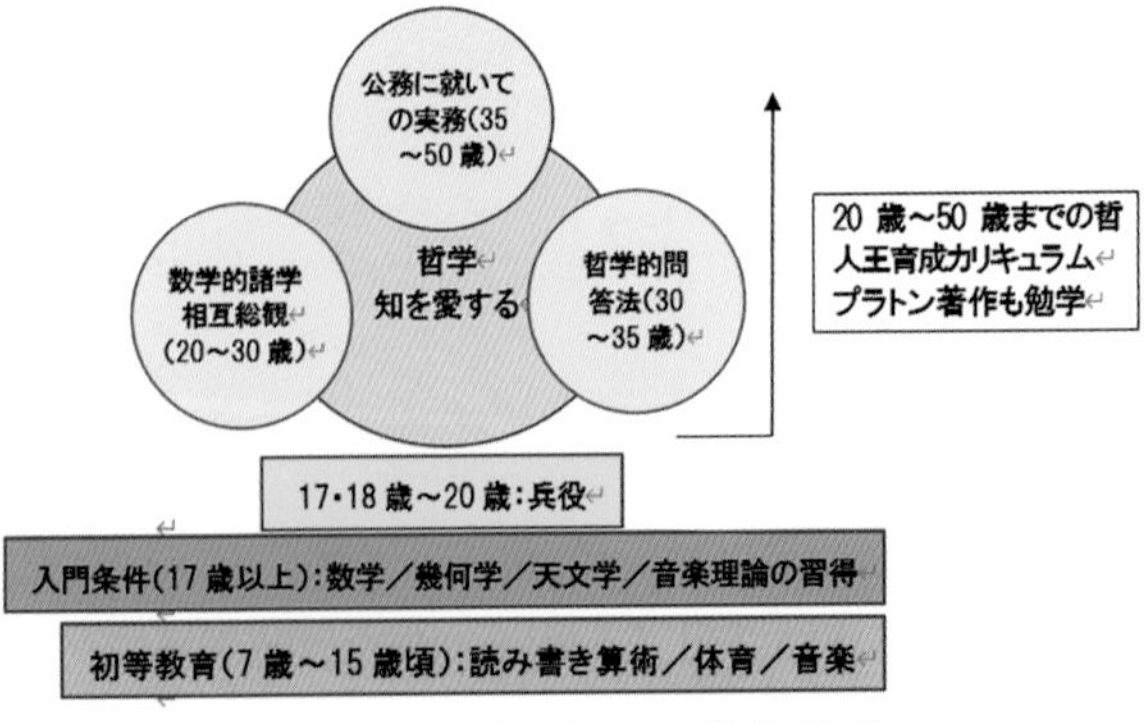

図表5-7　プラトンの教育体系

される。……おおよそすべての技術も思考も知識も、共通に用いる或るものがある。……誰でもが最初に学ばねばならぬものだ。……これを総括して言えば、数と計算と言うことになる。……すべての技術も知識も必ずそれを共有しなければならぬ。……戦争の技術も……」。

●『国家・第7巻・7』に「計算したり数えたりする能力を、軍人にとって必要欠くべからざる学科と定めるべきではないだろうか」。

●『国家・第7巻・9』に「陣営の構築や、要地の占拠や、軍隊の集合と展開や、その他戦闘の最中や行軍の時に軍隊が取るさまざまの隊形などの事にかけて、幾何の心得があるとないとでは、同じ人でも差異が出てくるでしょうからね」と記している。

●運動について『法律・第7巻・17』に「私たちは体育場を設け、戦争に関係のあるすべての身体的な訓練、つまり、弓術、すべての投擲術、盾術、すべての重装備戦闘、陣形展開、すべての行軍、設営及び馬術等を定めました」。

❹音楽・芸術について

『法律・第7巻・6』に「学習は、実際上2つに分かれると言えましょう。身体に関する体育と、魂をよくするための音楽・芸術と、です」と記し、訓練・勉学だけでなく憩いとしての音楽・芸術を勧めている。これらはアテナイやアポローン等の神々の祝祭に通じるものである。

③アリストテレス

アリストテレスはマケドニア生まれで、アテネ市民ではないということで「アカデメイア」の教頭になれなかった。そのためBC342年から約2~3年間フィリッポス2世の要請で王子アレクサンドロスの家庭教師となった。その縁で『アレクサンドロスに贈る弁論術』の著作が発表されており、彼の全集には入っているが、贋物との評価がある。BC335年「学園・リュケイオン」を創設したが、アレクサンドロス大王死後、マケドニア嫌いのアテネから追放となってしまった。彼は百科全書的知識人で、「論理的に正しくても、人間社会で正しいとは限らない」との警句も言っている。知的探求を指した当時の哲学を、論理学、自然科学を始めとした学問として分類し、それらの体系を築いた業績から「万学の祖」とも呼ばれる。

そして実証的学問を希求し、弟子を各ポリスに派遣し国政状況を調査したり、アレクサンドロス大王東征時には甥のカリステネスを従軍歴史家として資料採取をさせたりしている。この影響でアレクサンドロスは、東征終盤にはカスピ海の調査をさせたり、武将ネアルコスにインダス河口からティグリス・ユーフラテス河口まで探検航海をさせたりして、その結果をネアルコスは『インド記』として纏めている。アレクサンドロス大王に憧れたナポレオンは、大王同様にエジプト遠征で数多くの学者を引き連れ、エジプト学士院を創設している。これもアリストテレスの資料収集魔的な意欲の結果である。

彼の著作は、論理学・形而上学・倫理学・政治学等の哲学に類するもののみならず、自然学・生物・動物学等の科学や工学・経済学・家政学にまで及んでいる。「万学の祖」の名前にふさわしい業績であり、後世のイスラムやルネサンス文化に影響を与えた。しかしアカデメイアの教頭になれなかったためか、師プラトンの言説に批判的なものがある。すなわちプラトンが、幾何・数学を第１義と考えているのに対してアリストテレスは自然学を第１義としている。そして３段論法に代表する論理学を創り、カイゼンに繋がるＰＤＣＡ的考え方の萌芽を作り出した。すなわち、３段論法の前提・推論・結論は、ＰＤＣＡのＰＬＡＮが前提、ＤＯが推論、ＣＨＥＣＫが結論に近いものではないか？　前提を組み立てるうえで、プラトン提唱の数学の知識を使う必要がある。

✧**論理学**：『オルガノン』『命題論』『詭弁論駁論』等
✧**形而上学**：『形而上学』（「万物の根本的な原因・原理」を考察・探求する学問領域）
✧**倫理学**：『ニコマコス倫理学』『エウデモス倫理学』等
✧**政治学**：『政治学』『アテナイ人の国制』
✧**レトリックと詩学**：『弁論術』『詩学』『宇宙論』『気息について』
✧**自然学**：『自然学』『天体論』『生成消滅論』『気象論』
✧**生物・動物学**：『霊魂論』『自然学小論集』『感覚と感覚されるものについて』『記憶と想起について』『睡眠と覚醒について』『夢について』『夢占いについて』『長命と短命について』

『青年と老年について、生と死について、呼吸について』『動物誌』『動物部分論』『動物運動論』『動物進行論』『動物発生論』等

✧小品集：『色について』『聞こえるものについて』『人相学』『植物について』『機械学』『不可分の線について』『風の方位と名称について』『問題集』『徳と悪徳について』『経済学』『家政学（家政術・家政論）』『アレクサンドロスに贈る弁論術』等

ギリシア文明を花開かせたソクラテス・プラトン・アリストテレスの学問上の功績を図表5-8に示す。

ソクラテスは文書を残していないので、プラトン・アリストテレスの功績を示す。

●プラトンは対話形式を重んじていたが、アリストテレスは一般市民にまで公開講座をしている。これがアテネ市民に受け入れられたのだろう。

●プラトンは数学・幾何学を最重要視。アリストテレスはプラトンほど数学・幾何学を重要視していない。修辞学や生物学を含めた自然学（自然の事象や生起についての体系的理解および理論的考察）を重視。

●両者ともに体育・詩歌等、さらに学生とのシンポジオンを重要視し、市民教育・為政者の育成のため体育・詩歌・数学・幾何学は必要とみなしている。

●3哲人は、講演等の一方的、知識の伝達ではなく、対話を重んじている。これはわが国では

従来、稀なことで、西欧人は、論理的会話ができることを要求されることに繋がっているのであろう。

図表５－８　３哲人の学園等比較

	経歴等	学園
ソクラテス（ＢＣ４７０年頃～ＢＣ３９９年）	●父：彫刻家。３級市民。重装歩兵として数度従軍。	「アテナイの国家が信じる神々とは異なる神々を信じ、若者を堕落させた」との罪で刑死。
プラトン（ＢＣ４２７年頃～ＢＣ３４７年）	●アテナイ最後の王コドロスの血を引く名門一族の息子。 ●イストミア大祭にレスラーとして出場。	●ＢＣ３８７年「アカデメイア」設立。 ●途中中断もあり、５２９年閉鎖命令。 ●塾頭・学生はアテネ市民が多い。
アリストテレス（ＢＣ３８４年～ＢＣ３２２年）	●父：マケドニア王アミュンタス３世侍医。 ●ＢＣ３６７年～ＢＣ３４７年「アカデメイア」で学ぶ。 ●アレクサンドロス大王家庭教師（ＢＣ３４３年～ＢＣ３４１年）。	●ＢＣ３３５年「リュケイオン」設立。 ●途中中断もあり、５２９年閉鎖命令。 ●アリストテレスが非アテネ市民だったため、塾頭・学生も外国人が多い。

パトロン		●当初、シラクーサの僭主ディオニュシオス1・2世の支援。	●当初、マケドニア王家の支援。資金量豊富。
学費		●無料	●無料
教育方法		●数学等基礎学力が入園前に必要。 ●数学を重視。 ●対話形式。学長の考え方がすべてではなく自由。	●修辞学や生物学を重視。 ●午前対話形式／午後初心者や一般市民への公開講義。公開授業が評価された。 ●学長の考え方がすべてではなく自由。
教育法		●女性学生2人。 ●シンポジオン（共同食事）を重視。質素。	●医者家系のため生物・自然研究多い。 ●実証的学問重視。 ●豊富な資金で多方面研究。 ●シンポジオン（共同食事）を重視。食事内容が豊か。
著書	なし	上記参照	上記参照

功績は、大きく分けると、以下の4項目である。

●シンメトリア等の発見をもたらした数学的素養
●軍事技術と幾何・数学の結びつきの発見
●アカデメイア等の教育研究機関の継続
●訓練・教育施設に談話・憩いを盛り込んだ考え方

4 シンメトリア等の発見をもたらした数学的素養

パルテノン神殿に代表される神殿建築は、その後の劇場・公共建築等の装飾として現在に伝えられ、「装飾芸術」の基本になっている。またプラトンが唱えた哲人政治の考え方は、現在の大統領制や軍事技術の構造によく似ている。すなわち基本はアテネであり、そこから大きな変革はないということである。その事例として図表6－8に示すレオナルド・ダ・ヴィンチの人体図がある。15・16世紀の天才が評価したギリシアで興った「シンメトリア」や「オーダー」は、図表6－12に示すように大正・昭和初期の日本の建築にも使われ、普遍性がある。

「シンメトリア」等には数学・幾何学の成果が盛り込まれ、ギリシア文明の考え方が時代を経ても不変であることの側面を示す。

5 軍事技術と幾何・数学の結びつきの発見

オクターヴ・オブリ著『ナポレオン言行録』に「軍学とは、与えられた諸地点にどれくらいの兵力を投入するかを、計算することである」、「戦術や、機動や、技術者・砲手としての学問は、ほぼ幾何学と同じ」と記している。軍事と建設技術は非常に似通っているので、軍学から建築学に置き換えれば、そのまま通用する。すなわち「建築学や施工技術、建築技術者としての学問は、ほぼ幾何学・数学を学ぶことによって出来る」と言える。再記するが、アカデメイアの学園に「幾何学を知らぬ者、くぐるべからず」の看板の意味の重要性が分かる。したがってプラトン等の言葉は2400年後の現在でも陳腐化しない、学ぶべきものである。

6 アカデメイア等の教育研究機関の継続

アカデメイア・リュケイオンの900年にもわたる、時代の変化にも耐えられた研究・教育機関が継続できたこと。

7 訓練・教育施設に談話・憩いを盛り込んだ考え方

アテネには三つの神域にギュムナシウムがあり、プラトン・アリストテレスが学園として使用していた。図表5-9にウィトルーウィウスの『建築書』「第20図・パラエストラ／ギュムナシウム」とローマのカラカラ浴場（テルマエ）の平面図を示す。

ギュムナシウムは建物寸法118m×248mでBC4世紀中頃のもの。カラカラ浴場の建物寸法225m×185mで、216年完成である。ともにa浴場施設、b体育施設、c

勉学・談話施設があり、６００年の時空を隔てているが、非常によく似ている。ギュムナシウムは a 浴場施設は少なく、運動後の洗い流しが主体で、カラカラ浴場は憩いのため大きな面積を取っている。b 体育施設、c 勉学・談話施設は両施設とも同程度の広さを持っている。両時代も、体育と勉学・談話を同程度に重要視していたことが明らかで、ギリシア文明がローマ文明に影響を与えている別の側面である。

　古代ローマの風刺作家で「健全なる精神は健全なる身体に宿る」と記したユリナウルス（60年〜130年）の言葉に、「パンとサーカス」がある。「民衆は、国政に対する関心を失って久しい。指揮権、懲罰権、ローマ軍団、かつては全てを与えていたが、今や自らそれを止め、ただ二つのものを不安げに求めている。すなわちパンとサーカスを」とある。サーカスとは本来は戦車競走の事であるが、娯

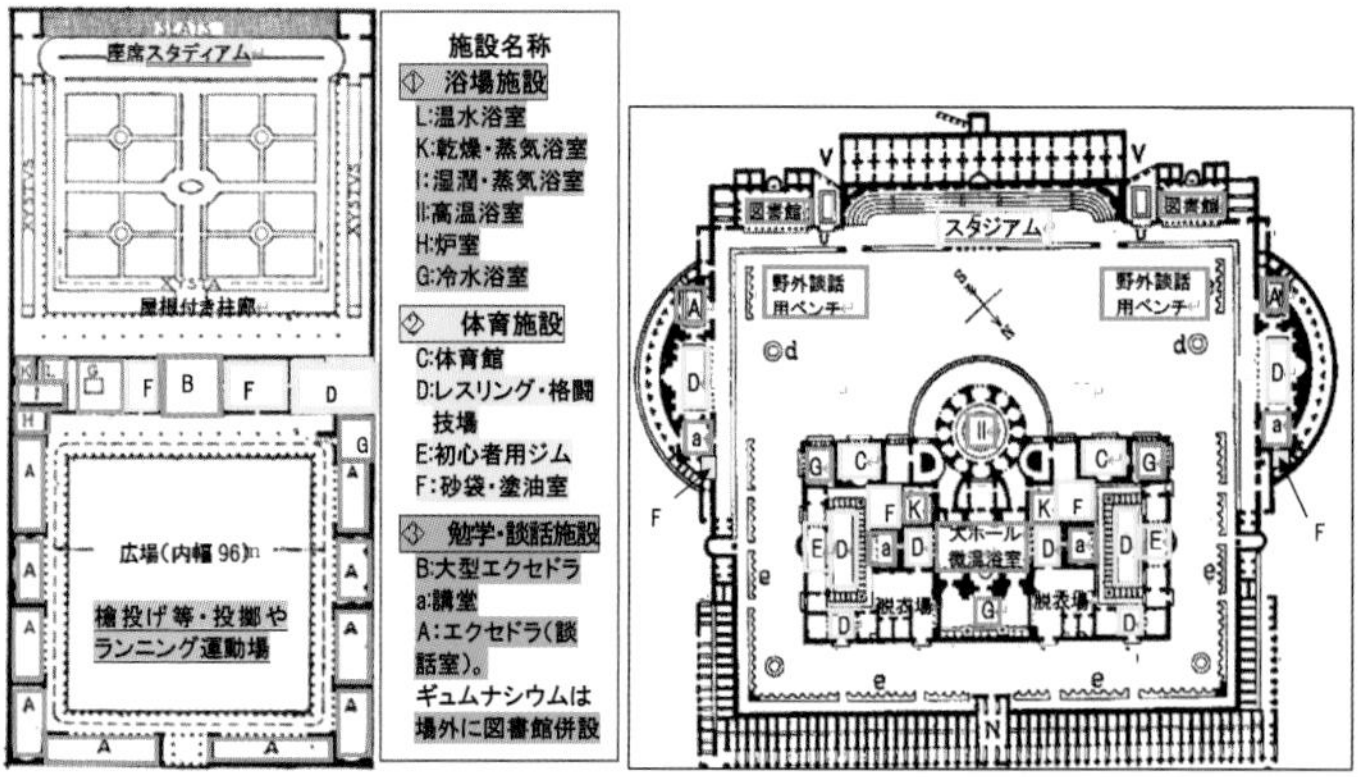

図表5-9　アテネのギュムナシウム（118ｍ×248ｍ）とカラカラ浴場（225ｍ×185ｍ）の比較

楽一般を意味するようになった。ギュムナシウムは元々、「健全な身体」を創りだすための施設である。時代が経て爛熟のローマの時代には、ユリナウルスが嘆くように娯楽が盛んになり、その代表格がテルマエであり、施設の内容が大きく変わったのだ。

3 なぜアテネは早く衰退したにもかかわらず、後を継いだローマは長き繁栄ができたのか？

アテネはBC479年の「プラタイアの戦い」の後、繁栄を誇ったが、BC404年のスパルタへの無条件降伏により、ギリシアでの覇権を失った。僅か75年間である。その後テバイ、BC338年マケドニアが覇権を握る。

一方、古代ローマは第2次ポエニ戦争で地中海を内海としたBC201年から西ローマ帝国の滅亡の476年の間、677年間も大領土を保持した。今に伝わるギリシア文明を創った優秀なギリシア民族（アテネ）が、75年間でなぜ衰亡を始めたのか？　677年間のローマと繁栄要因の対比を図表5－10に示した。

図表5-10　古代ギリシアと古代ローマの繁栄要因の対比

検討期間	古代ギリシア（アテネ）：75年間	古代ローマ：677年間
	BC480年（サラミス海戦）〜BC404年（アテネ無条件降伏）	BC201年（第2次ポエニ戦争）〜BC49年（ルビコン渡河）〜476年（西ローマ帝国滅亡）
1 市民の範囲	●基本的に両親ともにアテネ出身者（**血縁主義**）。全人口31・5万人。 ●奴隷はアテネ36％。スパルタ72％であった。	●奴隷身分であっても解放奴隷（→ローマ市民）になり、出世可能。 ●『古代ローマを知る事典』によれば奴隷は15〜20％。 ●父親が元奴隷で皇帝登位が2人（**能力主義**）。
2 軍の指揮権	●「マラトンの戦い」はミルティアデス含め10人。「シケリア遠征」は当初、アルキビアデスを含め3人の指揮権者。**指揮権者が多い。** ●従軍中の軍指揮官でも訴追できる。	●カエサルのガリア侵攻（BC58年〜BC51年）のように広範囲・長期間でも軍の**指揮権者は1人**。 ●公職従事中の市民や、従軍中の軍指揮官は訴追できない。
3 教育	●**公営。**詩歌・芸術を重視。	●**民営。**詩歌・芸術は人間を堕落させると蔑視。
4 寛容	●国に貢献した人でも排斥。	●国に貢献した人は敵対しても許す（キケロやブルータス等、カエサルに背いた人も許す）。（**カエサルの寛容**）

5 政治形態	●アテネ市の人口は31万人程度で、民会の投票権は2万人くらいあり、市民は平等。↓衆愚政治 ●民会への議案提出は抽選で選出の五百人評議会（手当あり）。	●ローマ市の人口は１００万人程度で、民会はクリア・ケントゥリア等4部会があり、投票権は部会の重要度で差をつけ、投票総数１８３票。元老院議員（６００人〜９００人）は名誉職で無給。 ●共和政↓共和独裁政↓帝政
6 インフラ／流通	●海洋国家。貿易重視。	●大陸国家。領土の道路・上下水等インフラ整備をして、豊かな生活重視。

1 市民の範囲（血縁主義と能力主義）

ギリシアの都市国家は、プラトンが唱えるように顔見知りの市民が治める程度の規模が良いと考えた。すなわち血縁主義である。領土を広げても占領地の領民は、市民とせず奴隷等とする。従って奴隷の比率が古代ローマは20％まで、一方アテネは36％、スパルタは72％と非常に数が多い。アリストテレスのような優秀な外国人でも、市民とせず外国人扱い。もし彼がアテネ市民となり参政権があったら、アレクサンドロス大王の東征はなかったのかもしれない、のだが。

一方、ローマ帝国では優秀なら、奴隷の子供でも皇帝になれた。ペルティナクス（在位１９３年1月〜3月）、ディオクレティアヌス帝（在位２８４年〜３０５年）の２人がいる。

皇帝出身地については、62代皇帝コンスタンティヌス1世までの皇帝の出身地は、ローマ・イタリア46％、属州54％で、アフリカ出身者も３人いる。属州出身皇帝は、数代前は非占領民・奴隷ということもあり得て、優秀なら皇帝になれる能力主義であった。したがって**血縁主義のアテネでは、大国への進化はあり得なかった。**

２ 軍の指揮権

カエサル著『ガリア戦記・解説』に「ローマでは法律の保護により、官職にあるものは法廷に訴えられる危険はなかった」と記している。すなわちＢＣ58年～ＢＣ50年までコンスル代理・ガリア知事・遠征司令官と８年間の長期にわたり１人指揮権者であったカエサルは、ガリア人を大量虐殺したり金品を私のものにしたりした。この間、ローマ元老院は彼に手出しできなかった。しかし無官になったＢＣ49年に、犯罪者になることを恐れ、ルビコン川を渡りローマ内戦となったのだ。

一方、ＢＣ４１５年のアルキビアデス企画のシケリア遠征ではその途上、ヘルメス像破壊の疑いでアテネへの召還命令。首謀者が召還では遠征隊の士気は格段に落ちたであろう。前記した真珠湾攻撃の連合艦隊司令長官をハワイに向かう途中に「日本への召還命令発令」と同じで、艦隊の士気は落ち、奇襲もままならなかったであろう。このようなことがあり得るのか？　である。

またこの遠征では司令官はアルキビアデス・ニキアス・ラマコスの3人の集団指導制。BC490年の「マラトンの戦い」では、主戦派のミルティアデスを含めて10人の将軍の輪番制指揮制度。誰もが責任を取りたがらず、ミルティアデスの順番の日に戦端を開いた。ルネサンスのマキャヴェッリ『君主論』に、**「優秀な指揮官が二人いるよりも、凡庸な指揮官が一人で指揮するほうが、よほど有用である」がある。アテネはこの言葉の意味を理解していないが、ローマはこれを実践して大国になったのである。**

後の共和政ローマのように独裁官そして皇帝が存在しなければ大戦は行えないし、大国の支配はできないのである。したがってアテネは大国を目指す姿勢に欠けていた、と言わざるを得ない。

ちなみに日本国憲法では、国会議員は原則として国会の会期中逮捕されない「不逮捕特権」があり、古代ローマの特権と同じである。

3 教育

ともに市民＝兵士の教育をしている。

●ギリシアは基本的に公営。哲学・数学／幾何学を重視し、詩歌・演劇等も重要視。

●ローマは私営。初期は詩歌・演劇等は市民を軟弱にすると蔑視。2世紀以降「パンとサーカスの時代」となり、蔑視から転向。

4 寛容と政治形態：衆愚政治による有為な人材の排除

●ＢＣ４９０年の「マラトンの戦い」でアテネ陸軍を率いたミルティアデスはＢＣ４８９年パロス島の攻略に失敗したため、訴えられ死刑を求刑されたが、マラトンの戦いでの救国行為のため、50タラントンという極めて高額な罰金刑となったが、支払い前に獄中死してしまった。

●「サラミスの海戦」の英雄テミストクレースやシケリア遠征の企画者アルキビアデスも告訴され死刑を恐れ国外逃亡している。

●ＢＣ４０６年の「アルギヌサイ海戦」での大量遭難に対する弾劾裁判での６人の将軍を死刑。

●ソクラテスはＢＣ３９９年、「アテナイの国家が信じる神々とは異なる神々を信じ、若者を堕落させた」との罪で死刑。

有為な人材を衆愚政治で失った。**テミストクレースやペリクレスのような有能な指導者がいない限り、衆愚政治では民衆がデマゴーグの扇動に付和雷同し、判断を誤り、国の発展は望めない。古代ローマは共和政から１人支配の帝政に変革したのである。**

5 国家を造るインフラ整備能力

古代ローマは領土を拡張すると街道を造り、上下水道や公共浴場・劇場等、首都ローマ並みのインフラ整備を迅速に行った。一方、アテネ等の植民地は、泉のある箇所に落下傘的に移住したので、まず神殿建設。領土を拡張するための道路整備には熱心でなかった。

これは第3編4 2「ギリシア／マケドニア（アレクサンドリア）の植民市」に記した和辻哲郎の言説を示すものである。

第6編　ギリシア神殿建築

ここではギリシア人が愛した神々を祭る神殿が、今に伝わる西洋建築の基本になった理由を明らかにするため、以下の項目について紹介する。

- 神殿の考え方
- エジプト・メソポタミア・ギリシア・ローマの神殿及びその形式
- ギリシア神殿の建設方法
- 神殿の構成：シュムメトリア・比例
- 何故、ギリシア建築の構造美が創り出されたのか？

1　神殿の考え方

古来、人々は神を信じ、崇め奉り信仰の証しとして、神のいる天に近い高所に神殿を建設した。神殿には崇拝する神を祭るとともに、神への捧げものを納めた。古代エジプトやメソポタミアでは、収穫物を神殿に集め、そのうちから地域民に神からの下されものとして、分配がなされた。時代が下りギリシア時代には貨幣経済が発達して、物から貨幣に流通が変わり、神殿には金庫が置かれるようになった。

神殿は神を祭るのであるから、壮麗でなければならない。各部位の寸法が「シュムメトリア」にのっとっていて、それを評価したのがレオナルド・ダ・ヴィンチである。これは比例や対称を意味し、『建築書』第2章に「シュムメトリアとは、建物の肢体そのものより生じる工合よき一致であり、個々の部分から全体の姿にいたるまでが一定の部分に照応すること」である、と記している。

以下にギリシア建築の構造美のもととなった神殿建築について紹介する。

図表6－1に示すアテネ・パルテノン神殿は、ペルシア軍とのマラトンの戦い（BC490年）の直後に建設が開始され、その途上のBC480年、ペルシア軍のアテネ侵入により焼失した。BC447年、新たに建設が始まり、BC438年に完成した。BC478年に結成されたデロス同盟の献納金は、BC454年にデロス島からアクロポリスへと移管されたように、金庫の役割を持っていた。パルテノン神殿は周囲より約90m高い場所に、ペンテリコン山の白大理石を使用し、ラウレイオン銀山で得られた豊富な資金力で造られた。キリスト教時代にはアテナイ女神をマリアと読み替え、聖神女マリア聖堂となり、イスラム勢力に占領されるとミナレット（尖塔）を建設しモスクとなった。そして1687年、オスマン帝国によって火薬庫

として使われていて、ヴェネツィア共和国の攻撃によって爆発炎上、その後、1975年再建された。もしもパルテノン神殿が、見上げるような高地でなく平地に造られ、輝くような白大理石でなく灰色等の大理石であったら、ここまで評価されなかったであろう。

パルテノン神殿は、将軍ペリクレスの指導のもとアテネの芸術と技術の粋を集めたものである。長辺69・5m、短辺30・9mの神殿は、外周に直径1・90m、高さ10・4mの円柱46本で囲まれ、基盤を水平に見せるため、視的錯覚を意識して短辺で6㎝、長辺で11㎝中央部を高くしている。いわゆる「あげ越し」である。また柱の直径は、内部柱1・90mに対して端部柱1・97mと太くして、等太柱に見せるように計算をしている。「目の錯覚」を意識して「美」を追求する意欲がこの時代にはあったのだ。建設には図表6-7aに示すようにクレーンが使用された。ペリクレスの友人・彫刻家フェイディアス指導のもと建設され、彫刻装飾も彼の手で施され、建築家イクティノスとカリクラテスが施工を担当した。ドーリス式建造物の最高傑作と見なされ、世界遺産となっている。

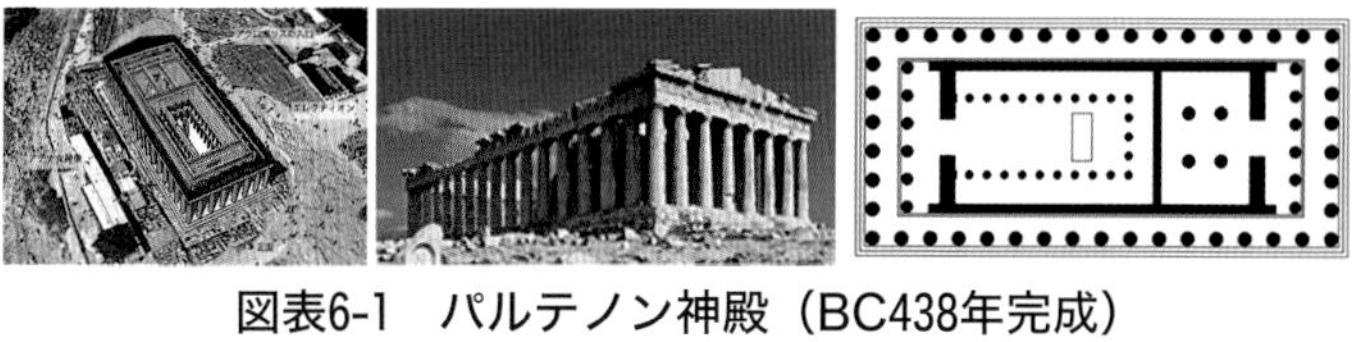

図表6-1　パルテノン神殿（BC438年完成）

２ エジプト・メソポタミア・ギリシア・ローマの神殿及びその形式

●ＢＣ13世紀頃に建設されたエジプトのカルナック神殿の大列柱室は、長辺１０２ｍ、短辺53ｍの領域に、16列に配置された１３４本の巨大な円柱がある。これらの円柱のうち１２２本は高さ約12ｍ、直径２ｍの未開花式パピルス柱であり、また、中央の２列に並ぶ12本は、他の円柱より大きい開花式パピルス柱で、高さが約21ｍ、直径３・６ｍで、柱外周は10ｍ余り、柱頭の最大円周は15ｍとなる。パピルス列柱は、天地創造の大地に浮かんだ葦の湿原を表している。パピルスを束ねた形状が柱の溝フリュートの原型と言われていて、『建築書』によれば24条と記している。

●カルナック神殿とパルテノン神殿を比較すると、柱についてカルナック神殿は高さ21ｍ、直径３・６ｍと巨大である。一方、パルテノン神殿は前記しているように、圧倒的にカルナック神殿の方が大きい。この差異は、施工法の違いであろう。図表6-7に示すようにパルテノン神殿は人力クレーンを使用しているため、柱を数等分に分割してもカルナック神殿のような大重量の円筒部分を吊り上げることは困難であった。一方、カルナック神殿では、古代エジプト得意の盛土の斜路を牽引して円筒部分を据え付けたのである。

●ギリシア神殿は、エジプト・メソポタミアの神殿を受け継ぎ、古代ローマに引き継がれた。これらの国々は多神教で、多くの神々を祭った神殿が造られた。３９５年のローマ皇帝テオドシウス１世のキリスト教国教化により、神殿は異教の神を祭るので、参拝禁止、破壊された採石場となったものが多い。特にローマ・ミラノ・テッサロニキ・パリ等、後にキリスト教が盛んな大都市の神殿は、打ち壊され、教会の石材に転用されたものが多い。キリスト教の総本山バチカンのあるローマでは、フォロ・ロマーノの多くの神殿が教会への転用が行われた。ギリシア神殿はキリスト教により否定されたが、サンピエトロ寺院のファサード（建物正面）のコリント式オーダー、サンピエトロ広場の楕円形で４列に並べられた３７２本のドーリス式石柱等は、神殿否定とは別に構造美を重要視して採用された。図表６－12に示すように丸の内等のビルにコリント式・ドーリス式等のビルが大正末期、昭和初期に建設され、美しいものは場所を選ばず、永遠であることを示している。ドーリス式等の３形式オーダーを図表６－11に示す。

●一方、ギリシア・ローマの神殿が数多く残るシチリア島のアグリジェント（ＢＣ６世紀）・セリヌス（ＢＣ７世紀後半）・セジェスタ（ＢＣ６世紀以前）やイタリア南部のパエストゥム（ＢＣ６世紀）等の神殿群は、キリスト教の浸透が少なく、神殿は打ち捨てられた状態が続き、現在これらは修復され世界遺産となっている。

●エジプト・メソポタミアの神殿とギリシア神殿の相違は、環境が大きく違うのが原因である。アテネは年間降雨量が４００ミリメートル以下であるが、エジプトのルクソールは年間数ミリメートル、メソポタミアのバビロンは数十ミリメートルと寡雨であり、木材の存在と降雨に対する対策が違う。すなわち、エジプト・メソポタミアの神殿は、石材や粘土煉瓦が使われ、屋根は平坦である。ギリシアでは当初、木材が多用され、図表6－2に示すペロポネソス半島北東部のアルゴス・ヘラ神域出土の初期神殿模型は雨水が流れやすいように傾斜した屋根型となっている。その他は、円柱のエンタシス・フリーズ・柱頭の飾りは両形式とも同じである。ただしカルナック神殿は、平面寸法が長辺102m、短辺53mと広く、また柱の太さが大きいので、光が届きにくく、パリ・ノートルダム寺院のように、採光のため中央部柱を高さ21mと周辺部の12mに比較して高くしている。このような高低差をつけたギリシア神殿は見当たらない。

●ギリシア神殿は、基本的に神の鎮座する矩形状の内陣を列柱が包囲する形式である。列柱は神殿の重々しさを示すためドーリス式柱を使用することが多い。柱と内陣の構造は、わが国の寺社建築（例えば、図表6－3に示す薬師寺金堂）にもみられる。すなわち大切な神や仏は、古今東西、見えにくい奥に囲う形式である。

●図表6－4に示すサモス島ヘラ神域の第3神殿は、BC570年～BC560年頃に建てられ、長辺104m、短辺52m、104本もの円柱によって内陣を二重に囲む巨大建築であった。セリヌスの最も巨大な建築物である

図表6-2　神殿テラコッタ模型

図表６－５に示すG神殿は、ＢＣ５３０年頃に着工、完成時期は不明。長辺１０９ｍ、短辺50ｍもあるが、崩壊が激しい。いずれにしろこの時代、１００ｍを超える超大型神殿が造られた。比較するパルテノン神殿は長辺69・５ｍ、短辺30・９ｍであり、これらの神殿規模の大きさに目を見張るばかりである。図表６－６に示すビザンチウムのフィロン（ＢＣ２６０年～ＢＣ１８０年）の設定した「世界７不思議」に数えられたエフェソスのアルテミス神殿は、ＢＣ５６０年～ＢＣ５５０年頃に建設され、ヘラ神殿よりも大きく、長辺１１４ｍ、短辺55ｍである。上記の神殿はパルテノン神殿より大きくさ

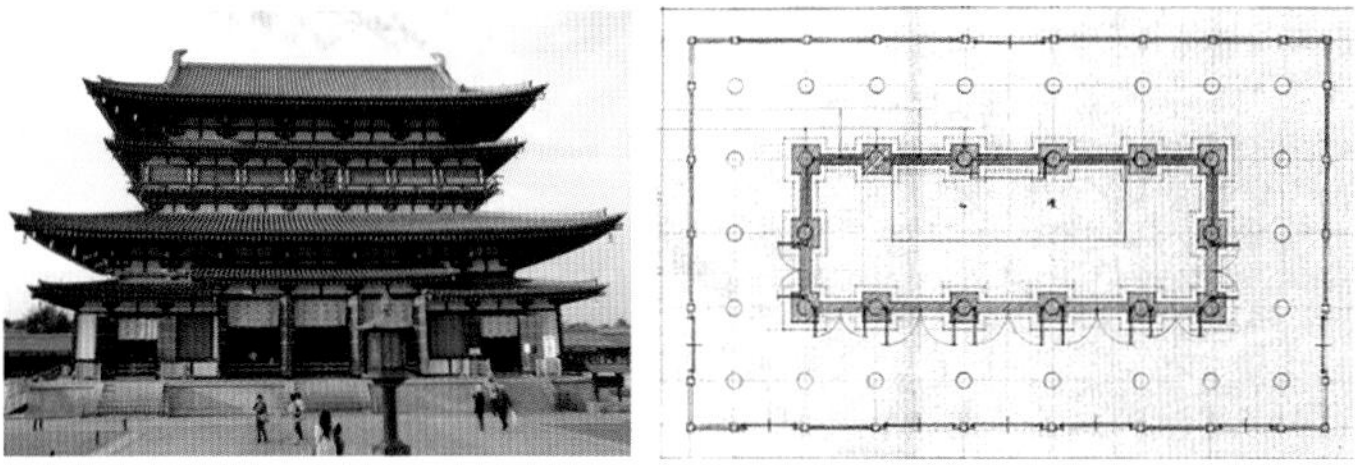

図表6-3　薬師寺金堂

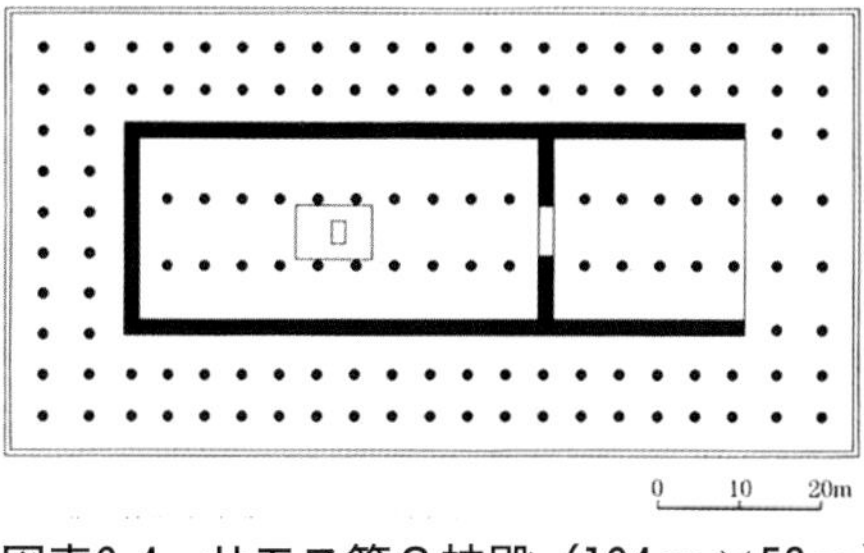

図表6-4　サモス第３神殿（104ｍ×52ｍ）

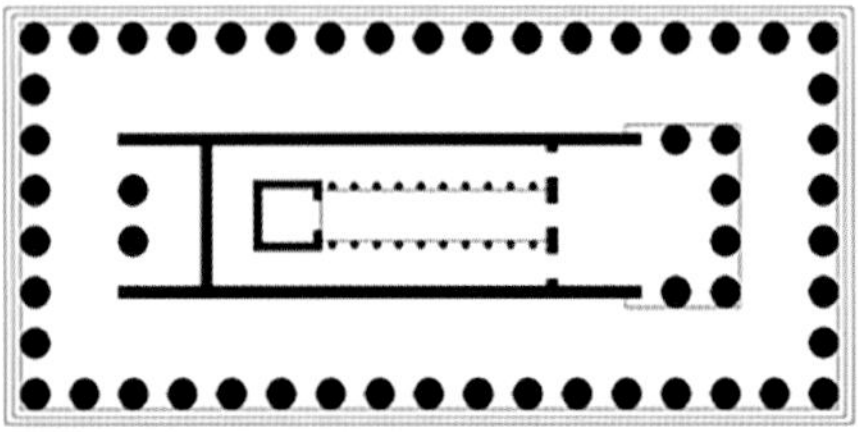

図表6-5　セリヌスG神殿（109ｍ×50ｍ）

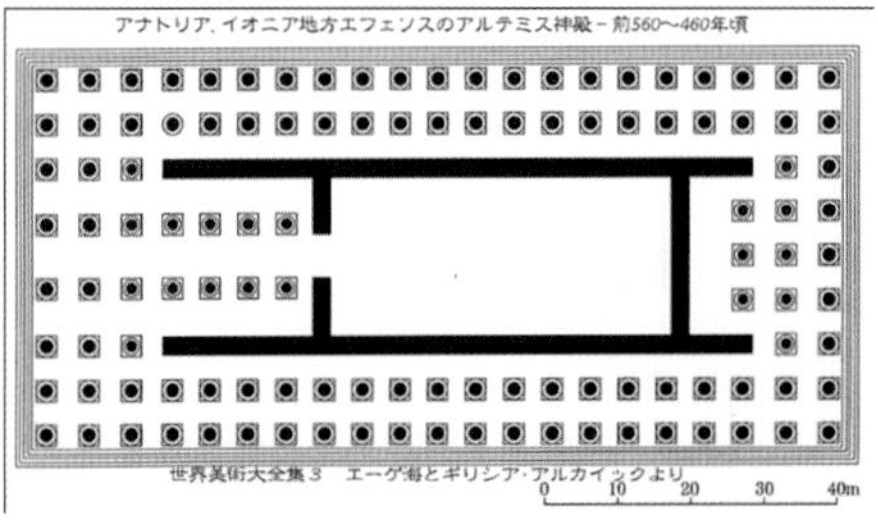

同神殿廃墟　　イスタンブールの同神殿模型

図表6-6　アルテミス神殿（114ｍ×55ｍ）

らに完成時期は同神殿より古いのである。食糧不足で植民をしたわけであるが、植民先で豊かになり、壮大な神殿を造ることができたのである。

3 ギリシア神殿の建設方法

古代エジプトやメソポタミアのように、石材は斜路を用いて引き上げるのではなく、ギリシアでは図表6－7bに示すような人力クレーンがあった。神殿の大きな石材は、輪切りにした円柱ドラム（5～10トン）と円柱頭部に乗る水平梁である。クレーンを多用することにより、建設が容易になった。クレーンの原理は図表6－7aに示す複合滑車で、日本には幕末の横須賀造船所建造まで導入されなかった。cに示す浮彫は古代ローマのクレーンオペレーターの墓碑であり、職業的地位が高かった印である。dはドイツのクレーン復元模型である。クレーンの起源はアテネではなくBC6世紀のエフェソス等植民都市かもしれない。

4 神殿の構成：シュムメトリア・比例

『ウィトルーウィウス建築書』第3書第1章に、「神殿の構成はシュムメトリアから定まる」と記している。

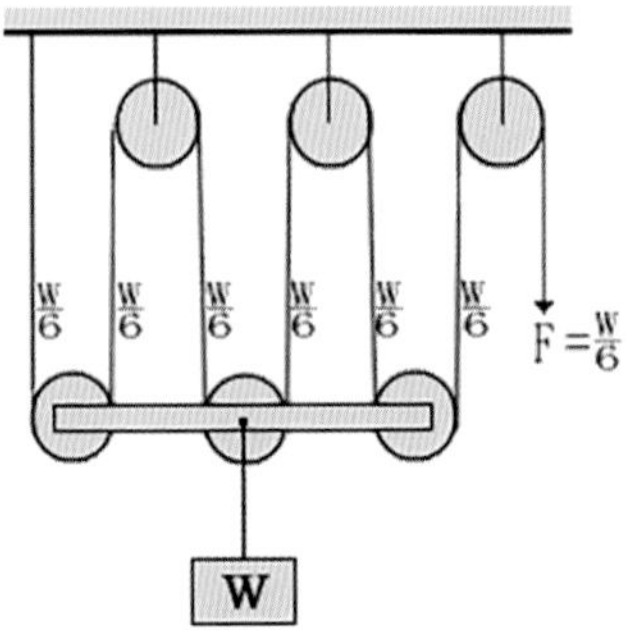

a　複合滑車の原理

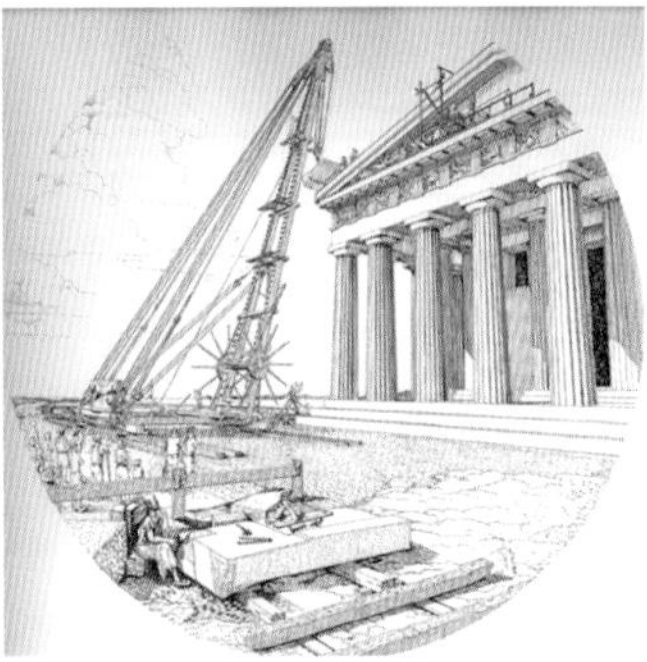
b　パルテノン神殿建設想像図

c　クレーン職人の棺のレリーフ

d　足踏み回転車式人力クレーン

図表6-7　人力クレーン図

1 シュムメトリア理論

『建築書』の同じ箇所に「自然は人間の身体を次のように構成した――頭部顔面は顎から額の上、毛髪の生え際までの長さは、身長の1／10で、同じく掌も手首から中指の先端までも同量。頭は顎から一番上の頭まで1／8、首の付け根を含む胸の一番上から頭髪の生え際まで1／6、胸の中央から一番上の頭頂まで身長の1／4。顔そのものの高さの1／3が、顎の下から鼻孔の下までとなり、鼻も鼻孔の下から両眉の中央の限界線まで同量。この限界線から頭髪の生え際まで額も同じく1／3。足は実に、背丈の1／6、腕は1／4。胸も同じく1／4。その他の肢体もまた自分の計測比をもち、昔の有名な画家や彫刻家たちはそれを用いて、大きな限りない賞賛を博したのである。これらと同様に、神殿の肢体は個々の部分を総計した全体の大きさに最も具合よく計画的に照応しなければならない」と記している。

この「シュムメトリア」について、最も有名なものに、図表6-8に示すレオナルド・ダ・ヴィンチ（1452年～1519年）が描いた人体図がある。人体と言っても、男女や年齢、人種で差異があるが、大雑把にみると、この法則に従っており、ルネサンスの巨匠が『建築書』に触発され図示したのである。ちなみにこのシンメトリアの考え方は、BC5世紀のギリシアの彫刻家ポリュクレイトス著『カノン』に「完璧な人体比率を実現するための比率」を記しており、これは1世紀のウィトルーウィウス提唱の「シュムメトリア」の嚆矢となっている。

図表6-8に示すように、ポリュクレイトスの彫刻とダ・ヴィンチの図は非常に似通ってい

る。ギュムナシウムで鍛えられた贅肉のない人体なのだ。ギリシアでは、身近に裸体の「美」が多数あり、その「美」が絵画・彫刻そして建築物の「美」になったのである。一方、日本では運慶作「金剛力士像」や「相撲取りの錦絵」が日本の「美」として尊重されてきた。西欧と日本の「美」の評価は違うのである。

「シンメトリア」を発見した人、評価した人も、2000年の時空を経ても、同じような「美」を数字で表現している。同図のそれは、ピタゴラスの提唱する「あらゆる事象には数が内在していること、そして宇宙のすべては人間の主観ではなく数の法則に従うのであり、数字と計算によって解明できる」に沿っている。

ギリシアにおける「美」について、ヴィンケルマン（1717年〜1768年）著『ギリシア芸術模倣論』に「絵画と彫刻における芸術の真髄を『高貴

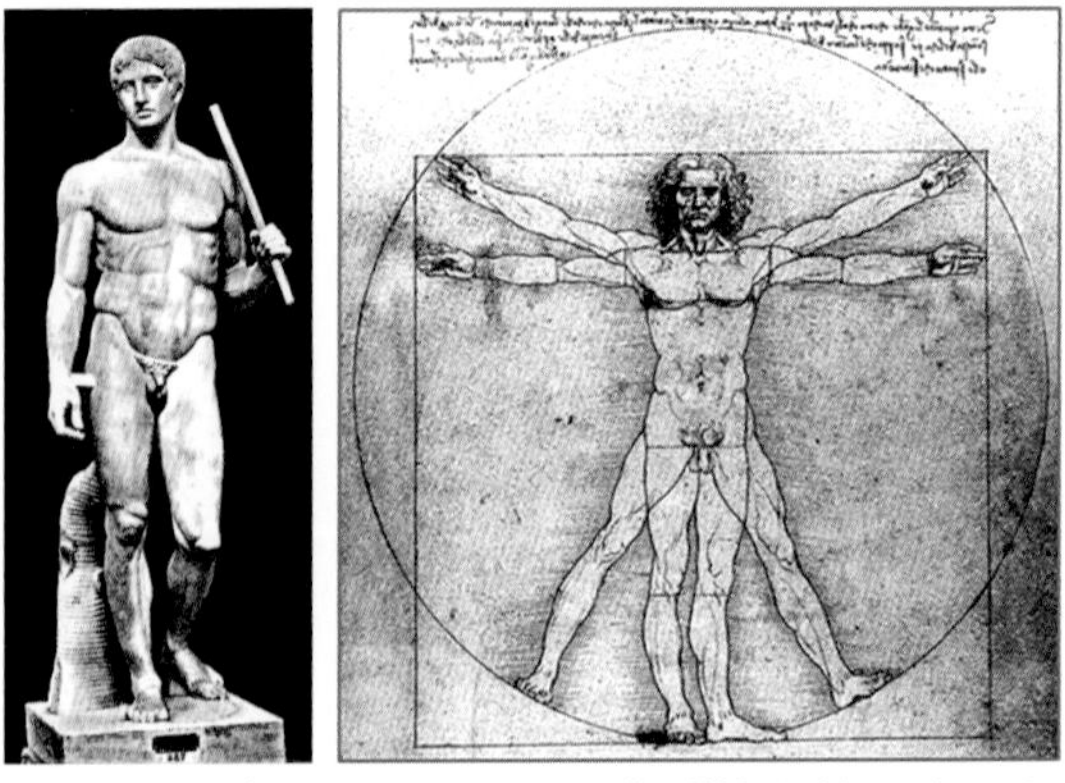

図表6-8　ポリュクレイトス作『槍を持つ人』とダ・ヴィンチの人体図

なる単純と静謐なる偉大』に見出したこと」を記している。ギリシア以降のローマ・ルネサンス等は**「絵画と彫刻におけるギリシア芸術の模倣」と言っている。ヴィンケルマン記述の「単純」は、ピタゴラス提唱の「数字と計算」に繋がるのである。**

２ 神殿建築とシュムメトリア

①神殿の細長比

『建築書』第４書第４章に「神殿の長さは、幅が長さの半分になるように」と記している。下記に示すように１：２の法則をほぼ守っている。カルナック神殿大列柱室はＢＣ13世紀完成。パルテノン神殿はＢＣ５世紀完成。その間に約８００年の時空があるが、美の基準に変化がない、ということである。

✧パルテノン神殿：長辺69・５ｍ、短辺30・９ｍ。長短比＝２・２５
✧エジプトのカルナック神殿の大列柱室：長辺１０２ｍ、短辺53ｍ。長短比＝１・９２
✧サモス島のヘラ神域の第３神殿：長辺１０４ｍ、短辺52ｍ。長短比＝２・０
✧セリヌスのＧ神殿：長辺１０９ｍ、短辺50ｍ。長短比＝２・１８
✧アルテミス神殿：長辺１１４ｍ、短辺55ｍ。長短比＝２・０７

②柱の太さと間隔とシュムメトリア

『建築書』第3書第3章に、柱の配置形式・柱の純間隔・柱の太さと柱長・端部柱の太さについての「シュムメトリア」を記している。これをまとめたのが図表6－9であり、この式に合わない事例も多い。しかし調査して、統計的に「シュムメトリア」の法則を導き出したウィトルーウィウスの業績は、凄いものである。

図表6－9　『建築書』第3書第3章の柱の「シュムメトリア」

柱の配置	柱の純間隔	柱の太さ（d）と柱長（h）	神殿端部柱の太さ	形式と柱の太さ
密柱式	柱太さ（d）×1・5	d＝1／10・0h	0・02×dだけ太くする。パルテノン神殿は、柱の直径は、内部柱1・904mに対し端部柱1・968m。1・03×dとなる。	●ドーリス式：男性的に見せるため、柱高さの1／6～1／7を柱下端太さに。●イオニア式：女性的に見せるため、柱高さの1／8～1／9を柱下端太さに。
集柱式	d×2・0	d＝1／9・5h		
隔柱式	d×3・0	d＝1／8・5h		
疎柱式	－	d＝1／8・0h		
正柱式：基本	d×2・25	d＝1／9・5h		

③柱のエンタシスとフルート

エンタシスは、円柱下部もしくは中間部から、上部にかけて徐々に細くした形状の柱の「ふくらみ」である。エンタシスを施した柱を下から見上げると、真っ直ぐな円柱よりも安定して見える錯覚を生むため巨大建築物の柱に用いられ、現代の建築でも使用されている構法である。『建築書』第３書第３章に柱の高さによる最適なエンタシスを記している。ちなみに図表6-10に示すように法隆寺金堂の柱にもエンタシスがある。

エンタシスは日本語で「胴張り」と呼ばれ、中国北宋時代（960年～1127年）の建築書『営造法式』に記載されている。

✧高さ４・４ｍまでの柱：下端太さ１／６柱長。その５／６が頂部太さ。

✧高さ４・４～５・９ｍまでの柱：下端太さ１／６・５柱長。その５・５／６・５が頂部太さ。

図表6-10　法隆寺金堂エンタシス

✧高さ5・9〜8・9mまでの柱：下端太さ1／7柱長。その6／7が頂部太さ。

✧高さ8・9〜11・8mまでの柱：下端太さ1／7・5柱長。その6・5／7・5が頂部太さ。

✧高さ11・8〜14・8mまでの柱：下端太さ1／8柱長。その7／8が頂部太さ。

5 何故、ギリシア建築の構造美が創り出されたのか？

ギリシア建築の代表、神殿に『建築書』が記述している「シュムメトリア」や目の錯覚を利用した「あげ越し」・「エンタシス」、さらに第7編 3 に示す劇場・図書館等の背景図に透視図法を用いること等により構造美が創り出された理由は、ギリシアの哲学・数学・自然科学の賜物である。

1 構造美を創った人々

構造美を創った哲学等の起源は、BC7世紀頃より、ターレスを代表とする「自然の根本原理をめぐる思索」、「数にもとづく世界の解釈」をしたピタゴラス等の人々が大きな働きをしている。彼らの功績を重複部分もあるが紹介する。

●ターレス（BC624年頃〜BC546年頃）はミレトス生まれの哲学者で、「ターレスの定理：半円に内接する角は直角である」の生みの親である。特に測量・天文学に通じており、ヘロドトスによれば日食を予言したり、地面に映った影と自分の身長とを比較して、ピラミッドの高さを測定したりしたという。

●ピタゴラス（BC582年～BC496年）は「サモスの賢人」と呼ばれ、あらゆる事象には数が内在していること、そして宇宙のすべては人間の主観ではなく数の法則に従うのであり、数字と計算によって解明できるという思想を確立した。彼は和音の構成から惑星の軌道まで、多くの現象に数の裏付けがあることに気がついた。例えば竪琴の弦の長さと音程の高さに数学的関係を発見したとされている。

このような数学を中心とした科学的雰囲気が醸成され、「シュムメトリア」による構造美が創り出され、ソクラテスに連なる3大哲学者の「幾何学・数学」を基礎とした哲学思想に大きな影響を与えたのである。

2 オーダー

オーダーは古典建築の基本単位となる「円柱と梁の構成法」である。代表的事例を図表6－11に示す。多くのギリシア神殿はこの形式を取っている。

図表6−11　ギリシアの柱頭装飾の3形式

オーダー	様式	柱頭装飾	コロッセオ
コリント式	●BC5世紀頃に、アテネで発明されたオーダー。柱頭部分は、コリントスの墓地で捧げられたアカンサスの篭を模して作る。 ●『建築書』第4書第1章でコリント式オーダーの比例関係はイオニア式と同様。ただし、柱頭のみは柱直径と同じ比率。このため、コリント式はイオニア式よりもほっそりとした印象を与える。太田静六著『ギリシア神殿とペルシア宮殿』によれば、H／D＝7・8〜9・5と細い。		ローマのコロッセオの柱装飾 3階柱：コリント式 2階柱：イオニア式 1階柱：ドーリス式 
イオニア式	●渦巻模様が特徴的なオーダー。BC6世紀頃に小アジアで作成。ヘレニズム時代には、ドーリス式に代わって殆ど全ての神殿建築に取り入れられた。 ●『建築書』で線の細いイオニア式を女性的とし、女神の神殿に用いるべきだと主張がある。		

ドーリス式

●最も起原が古い。パルテノン神殿等、ギリシアで見られる礎盤を持たない柱をギリシア・ドーリス式、礎盤を持つものをローマ・ドーリス式と区別している。
●『建築書』で男性になぞらえ、武神の神殿に用いるべきだと考えた。『ギリシア神殿とペルシア宮殿』によれば、Ｈ／Ｄ＝４・１５～５・５と太い。

図表６－12に日本の代表的オーダーの事例を示す。コリント式の三井本館は１９２９年竣工。ドーリス式の日本工業倶楽部は１９２１年竣工。イオニア式の農林中金ビルは１９３３年竣工と、大正中期から昭和初期に丸の内を飾った代表的建築であった。ＢＣ４世紀のパルテノン神殿から数えると２４００年もの間、よき造形は継承されるのである。

三井本館（コリント式）

日本工業倶楽部（ドーリス式）

農林中金ビル（イオニア式）

図表6-12　日本の代表的オーダーの事例

第７編　オリンピック等祭典と祝祭によって創られた競技・歌舞演劇とその施設

神話が示すようにギリシア人は都市国家の守護神、オリンポスの神々を愛し、その神々は戦いごとが好きであった。人々は神々に運動・音楽・詩歌等の競争・コンテストを奉納したのが、オリンピック等の祭典の始まりである。祭典での歌舞演劇がなければ、後世のオペラやバレエが生まれなかった、かもしれないのである。

ここでは４大祭典の由来、アテネのパンアテナイア祭やディオニュソス祭等以下の項目について紹介する。

- ●古代オリンピック／古代ギリシア４大競技祭典と競技施設
- ●都市の祝祭
- ●劇場
- ●古代ギリシアの演劇

①古代オリンピック／古代ギリシア4大競技祭典と競技施設

●BC776年開催のオリンピックが最古であり、図表7-1に示す4大大祭は、394年に異教信仰を禁じたローマ皇帝テオドシウス1世により禁止されるまで続いた。オリンピックのような全国的競争を開催するには、その期間、ギリシア中を休戦しなければならず、その協定も作られた。そのくらいギリシア人は祭典が好きであった。図表7-2に4大祭典等の開催場所を示す。全ギリシアの祭典と言っても、開催場所は地理的にコリントスを挟んだ狭い範囲であり、ペルシア戦争参戦国ともいえる。

●祭典は体育と芸術の競争であった。都市国家の市民は国防の義務があり、その主戦力である重装歩兵集団は連帯意識が不可欠である。一方、祭典の勝者は集団に埋没しない個人であり、賞金にも勝る名誉の賞賛があった。したがって運動競技種目は戦争に通じるもので、団体ではなく個人戦が基本であった。祭典にはスタディアム・ジム・戦車競走場、さらに音楽・詩歌の発表場の円形劇場等の施設が造られた。

●図表7-1に示すように運動種目に加え、数多くの詩歌等の競演が行われ、ギリシア人の歌舞演劇好きがうかがえる。

●再記するが『巻8・144』「それに（我々には共に）ギリシア人だということでもある、つまり、血を同じくし、言語も同じで、神々の社も生贄奉献の儀式も共通であり、生活習慣も同じなのだ」と記している。オリンピックは、神々への奉献・宗教儀式でもあり、全ギリシアを精神的に統合する機能を持ち、時代とともに内容は変質していった。マケドニアやローマはギリシア民族でないとのことで、当初、祭典から除外されていたが、マケドニアは、先祖をヘラクレスと主張し、BC6～5世紀頃からオリンピックに参加。さらにローマの人々も祖先がアイネイアスであることを証明し、BC6世紀頃から参加を許された。オリンピック等の祭典参加は、民族として大変名誉があったのだ。

図表7-1　古代ギリシア4大競技祭典

	1 オリンピア大祭	2 イストミア大祭	3 ネメアー大祭	4 ピューティア大祭
場所	オリンピア	イストミア	ネメアー（コリントス県）	デルポイ
祭神	ゼウス	ポセイドン	ゼウス	アポローン
開催起源年	●BC776年開催と言われる。	●BC582年に始まったと考えられる。	●BC573年には存在。戦士のための競技会。戦士たちやその息子のみが参加。その後、全ギリシア人に開放。	●当初8年に1度開催され、音楽競技を奉納。都市国家クリッサとの戦争に勝利してBC582年以降、体育競技を加え、4年に1度に変更。

開催	由来
4年に1度	●諸説あるが、伝染病の蔓延に困ったエーリス王イーピトスがアポローン神殿に伺いを立てたところ、争いをやめ、競技会を復活せよとの啓示。イーピトスは仲の悪かったスパルタ王リュクルゴスと協定を結び、開催。
2年に1度	●メリケルテース（死後、海神に生まれ変わったイルカに乗った少年神）を祭り、コリントス創建者シーシュポスが始めた。はじめは閉鎖的な夜の儀式の祭であったものを、ポセイドンに捧げる競技会に発展させる。
2年に1度	●テバイ攻めの七将がネメアーに着き、喉が渇き水を求めた時、スパルタ王リュクルゴスとエウリュディケーの息子オペルテースの乳母が泉に案内。その間にオペルテースは大蛇に殺された。これを見た七将は大蛇を退治し、オペルテースの供養のため競技会開催との説等。
4年に1度	●大地の女神ガイアの代理と考えられる大蛇ピュートーンが、アポローンにより成敗され、大蛇ピュートーンの葬礼競技より始まったとされる。

競技種目
●競技は第1回からの伝統の192mのスタディオン走他、ディアウロス走（中距離走）、ドリコス走（長距離走）、五種競技、円盤投げ、槍投げ、レスリング、ボクシング、パンクラチオン（打撃技と組技の格闘技）、戦車競走、走り高跳び等。最終種目は武装競走。 ●**詩の競演等**も行われた。
●戦車競走、パンクラチオン、レスリング等。 ●**音楽および詩歌**、この競技には女性の参加も許可。
●戦車競走、重装歩兵競走、レスリング、ボクシング、戦車レース、槍投げ、弓術、更に**音楽コンクール**まで行われた。
●運動競技がスタジアムで行われ、また後に戦車競走もクリッサ野で行われた。 ●祭神が芸術等の神アポローンのため音楽・詩歌等が当初主体。**弦楽器やフルートの伴奏付きの歌唱や、フルートの演奏、演劇の上演コンクールや、詩や散文作品の朗読競技が劇場**で行われた。

●ギリシア人はホメロスに記されるように競争・コンクール好き。万事が競争（アゴン文化：競争に打ち勝った事を神に捧げる）。さらにギリシア人は異国民（バルバロイ）に対する優

越性があった。

●前記したように『歴史・巻8・26』に「ああマルドニオスよ、そなたはわれらをよりにもよって、何たる人間と戦わせようとしてくれたことか。金品ならぬ栄誉を賭けて競技を行う人間とは、と言った」。恐ろしいほどのギリシア人の名誉心であった。各ポリスは優勝者の凱旋式を行い、栄誉を称えていたのである。

1 オリンピック（オリンピア大祭）

図表7-3に示すオリンピックは、古代ギリシアのエーリス地方、オリンピアで4年に1回行われた当時最大級の競技会・祭典である。初めはスパルタ、エーリスの参加だけであったが、全ギリシアのポリスが参加するようになった。オリンピアにはエーリスの守護神ゼウスの神殿があり、競技会・祭典はBC8世紀からBC4世紀にかけて行われた。

図表7-2　４大祭典他の開催場所

●記録に残る最初のオリンピア祭は、ＢＣ７７６年に、ユリウス暦の８月に行われたと考えられている。夏至の後の２度目或いは３度目の満月の時期。麦の刈り入れが終わり農閑期で、収穫祭の意味もある。一方、農閑期は戦争の時期で、各地からの参加者が安全に参加できるように停戦協定が必要であった。大会の期間及び、それに先立つ移動の期間、合計３カ月間をオリンピア祭のため休戦期間にした。大会直前になると、エーリスからオリンピアまで全選手、役員が約50㎞の距離を行進した。そしてギリシア人の血筋を持つ市民しか参加が許されなかったし、不正防止のため全裸で競技が行われた。

●ローマ皇帝ネロは自己陶酔・露出型。

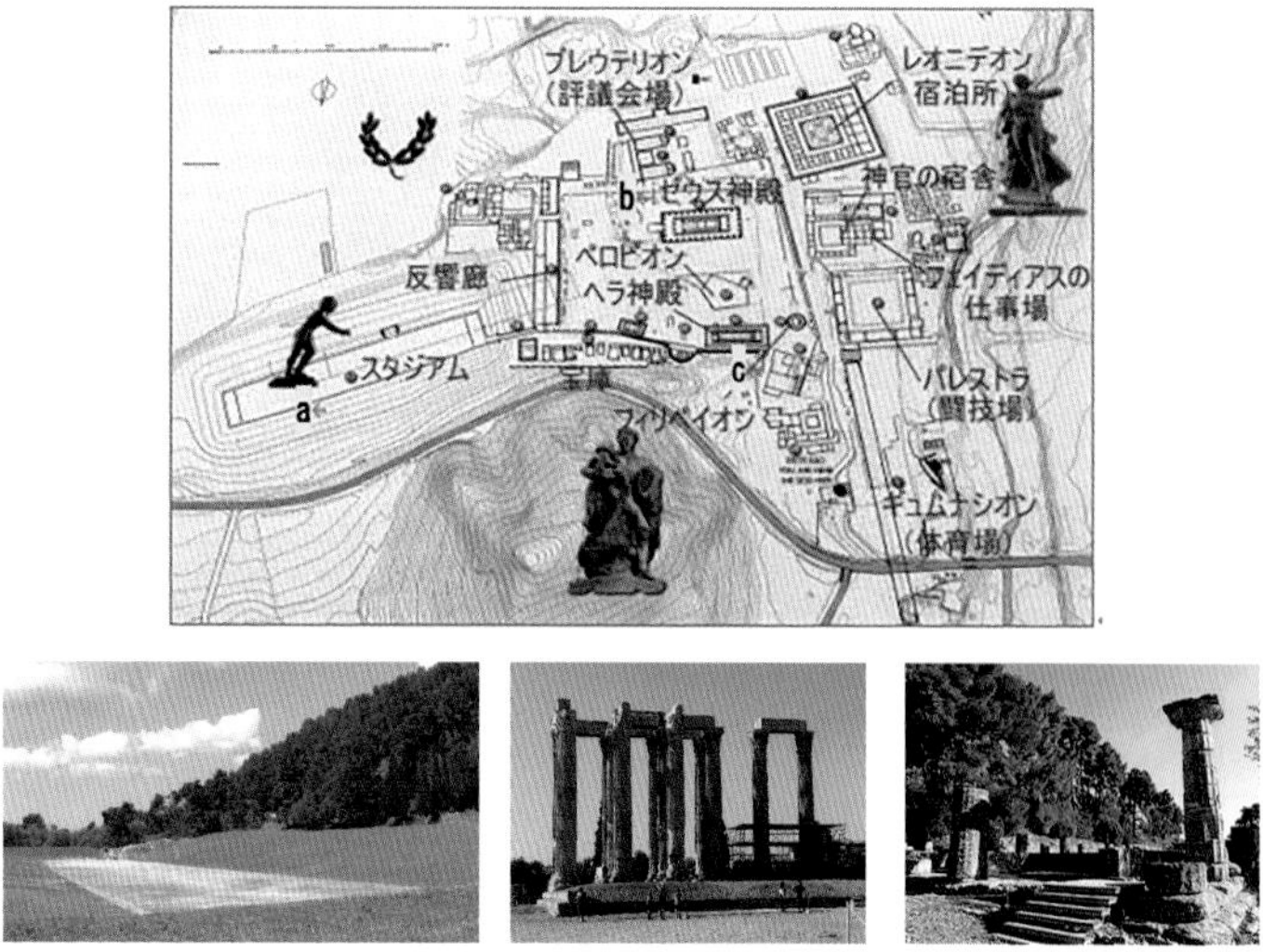

a　スタジアム　　b　ゼウス神殿　　c　ヘラ神殿

図表7-3　オリンピアの施設

ギリシアの4大祭典の勝者になることに憧れ66・67年にギリシア巡遊をして、無理やり開催スケジュールを変更させ、戦車競走や演劇等多くの競技に参加し1800余りの栄冠を獲得した話がある。「アウグストゥス喝采団」と称する「サクラ」を引き連れ、八百長ばかりと言われている。

●マイクやスピーカーのないこの時代、演奏競技においては、楽器の音の大きさや演奏の美しさが評価の対象となっていたとのことである。

●女子競技の部でヘーライア祭りが行われていた時代もある。ゼウスの妃ヘラに捧げる祭りで、オリンピア祭と重ならない年に行われていた。競技は短距離走のみで、右胸をはだけた着衣で行われた彫像があり、現在の夏季五輪のメダルに浮き彫りにされた勝利の女神は、これを使用している。

●初期はスタディオン走のみで1日。次第に競技種目も増え、BC472年には5日間の競技会となった。競技会初日は開会式兼儀式が、最終日は勝者のための宴が丸1日かけて催された。競技はあいだの3日間行われた。

●勝者には勝利を示すリボンのタイニア（ヘアーバンド等）が両腕に巻かれ、ゼウス神官よりオリーブの冠が授与され、自身の像を神域に残す事（神と同席できるとの意味）が許された。そして故郷で盛大に迎えられ、祖国の神殿に像が作られた競技者もいるし、税が免除されることもあった。何れにしろ、祖国の歴史に長く名が刻まれることになった。

2 イストミア大祭

●開催地・コリントス（古代名：イストモス）に因んで名前が付けられた。ＢＣ５８２年に始まったと考えられ、開催は2年に1度、古代オリンピックの前後の年（オリンピックの2年目と4年目）に行われた。オリンピックの3年目にはピューティア大祭が開催されたため、１回のオリンピック期間中は、毎年、何かしらの４大競技会が開催されていた。この大祭はギリシア全土に開かれたものとなり、人気を博していた。図表7－4にイストミア祭のスタジアムや競技種目を描いた壺等を示す。競技者は裸で、躍動感にあふれている。

3 ネメアー大祭

●ネメアーで開催された全ギリシア的大祭。オリンピックとピューティア大祭の行われない年に（イストミア大祭と同様に、２年毎に）開催された。古代オリンピックと同じく神々の王ゼウスの栄光を祝う大祭であった。ＢＣ

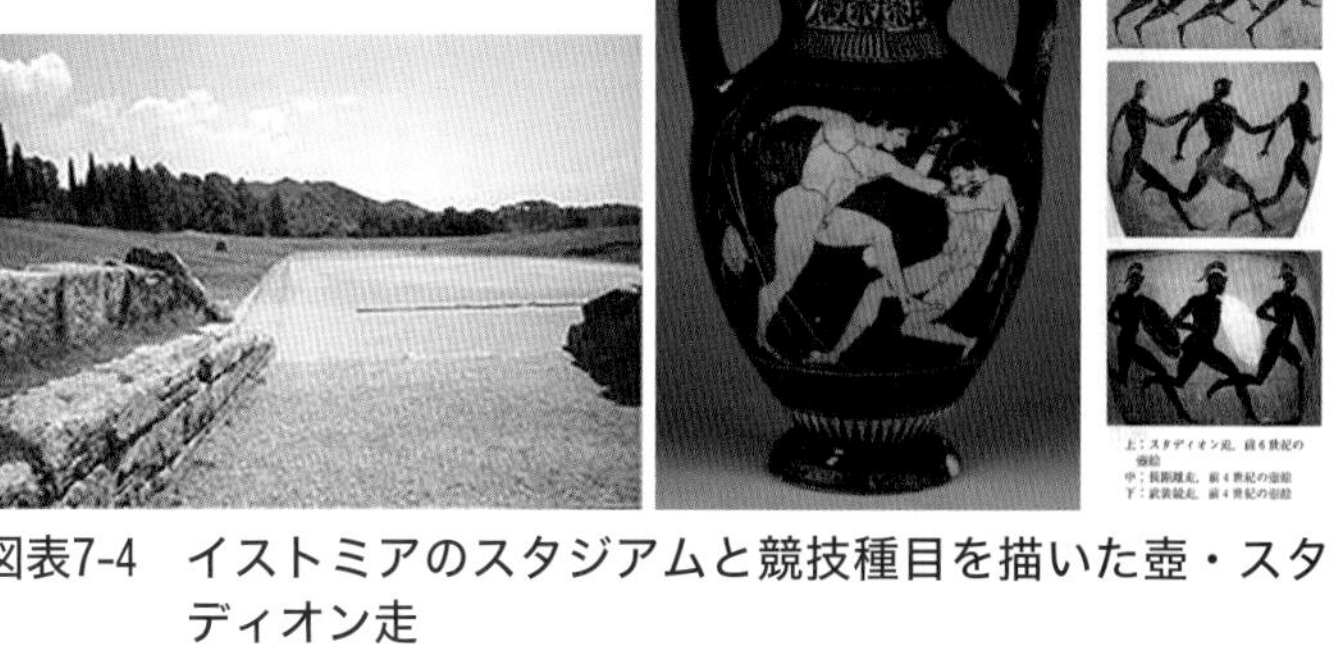

上；スタディオン走、前6世紀の壺絵
中；長距離走、前4世紀の壺絵
下；武装競走、前4世紀の壺絵

図表7-4　イストミアのスタジアムと競技種目を描いた壺・スタディオン走

573年には存在したことが確認されている。最初、ネメアー祭は戦士のための競技会であり、戦士たちやその息子たちのみが参加を許された。しかしその後、ネメアー祭は全ギリシア人に開放された。図表7－5にネメアーのスタジアムを示す。

4 ピューティア大祭

デルポイの聖地で開催された芸術・詩歌等の神アポローン神の祭儀である。大祭は8年に1度開催される音楽競技を奉納していた。BC582年以降、4年に1度、定期的に開催されるようになる。後に、クリッサとの戦いで戦勝したお祝いに体育競技を加えた。オリンピア大祭の開催時期と調整して、オリンピック競技の開催年から2年後、あるいは開催予定年の2年前に開催された。

●大祭が開催されたデルポイは、古くはピュートーと呼ばれ、ここにいたピューティアと呼ばれる巫女が、大地より吹き出す煙（炭化水素ガス）を吸入したことで恍惚状

図表7-5　ネメアーのスタジアム

態になり、アポローン神の神託を告げた。この託宣は権威があり、ペルシア戦争の際に、アテナイは、神託に頼ったことでも有名である。神憑りになったデルポイの巫女によって謎めいた詩の形で告げられるその神託は、神意として古代ギリシアの人々に尊重され、ポリスの政策決定にも影響を与えた。デルポイは深山幽谷の地で、いかにも神が住む霊気ただよう雰囲気の地である。神託をうまく利用するため、賄賂を使って、その内容を改ざんする一種の情報戦もあった。

●ＢＣ6世紀には、すでにギリシア全土で有名であり、最初は、音楽の神アポローンを称えるのに相応しいよう、音楽と詩歌の創作・発表競技が行われた。キタラー（弦楽器）の伴奏付きの歌唱や、フルートの伴奏付き歌唱や演奏などが加わった。更に演劇のコンクールや、詩や散文作品の朗読競技が行われた。ＢＣ５８２年以降では、オリンピア大祭に倣って、各種の運動競技や戦車競走も追加された。

●神殿北側の丘の上に図表7-6に示す天然の岩山を削って造られた５０００人収容の円形劇場がある。ＢＣ4世紀に造られ、2世紀にローマ人によって復元。音楽演奏と演劇は劇場で行われ、スポーツ競技は「デルポイのスタディオン」で開催された。

●デルポイの競技祭は特に名誉があり、勝利者は、賞金を受け取るのではなく、オリンピア大祭競技の場合に、「オリーブの小枝」を受け取ると同じように、「月桂樹の小枝」を受賞した。有名な「チャリオットの御者像」は、勝者の栄誉のために制作された像とも考えられている。

勝利者が自身の故郷のポリスで受け取る名声は、何にも較べがたく価値があったのである。

2 都市の祝祭

1 アテネの祝祭

アテネの人々はお祭り好きで、女神アテナイ、神ディオニュソス、女神デーメーテールと女神ペルセポーネ等を祭神としていた。知恵、芸術、工芸、戦略を司る女神アテナイと、豊穣とワインと酩酊の神ディオニュソスが代表格である。女神アテナイは戦争・競争好きなので、優劣を決めるコンテストが盛んに行われた。宗教儀式でディオニュソスを祭ることは、悲劇を演じることでもあった。

デルポイの円形劇場跡

デルポイ聖域のスタディオン

アテナイ人の宝庫

デルポイ・アポローン神殿跡

チャリオットの御者像

図表7-6　デルポイの神殿と競技施設

①パンアテナイア祭

ＢＣ６世紀中頃に僭主ペイシストラトスが行ったアテネの最も重要な祭典。祭神はアクロポリスの女神アテナイで、毎年、誕生日とされる盛夏のヘカトンバイオン月の28日（７月中旬頃）に、小パンアテナイア祭が行われ、４年に１度、大パンアテナイア祭が開催された。前後４日に、豪華な行進、羊・牛などの犠牲式、各種競技会・コンテストが行われ、刺繍された聖衣ペプロスが車輪の付いた船の帆柱に掲げられ、女神に奉献された。音楽、舞踏など各種のコンテスト、体育競技、供犠などがあり、最大の行事は戦車隊や騎兵隊や少年少女から成る大行列で、その光景はパルテノン神殿のフリーズの彫刻に描かれている。ここで競技とは陸上競技のドリコス（長距離走約３・８㎞）、スタディオン走（短距離走１９２ｍ）、ディアウロス（２スタディオン：中距離走）、ヒッピオ（ダブルディアウロス：４スタディオン）、ペンタスロン（五種競技）、パレ（レスリング）、パンクラチオン（打撃技と組技）、ホプリテス（武装競走）等である。戦車を含めた馬術競技、ボートレース等もあった。アクロポリスの丘の東約１・７㎞にある「パナシナイコスタジアム」はＢＣ３２９年に建設され、祭りの競技場として使われていて、１８９６年の第１回近代オリンピックのメイン競技場として使用された。パンアテナイア祭は歌舞演劇主体、体育競技従属であるが、一方、オリンピック等祭典は運動競技主体、歌舞演劇等が従である。

②酒神ディオニュソスとディオニュソス祭

❶酒神ディオニュソス

数多くの酒神の中でも主役のディオニュソスは、古代ギリシアの神で、ローマではバッカスと呼ばれていた。図表7−7aに示すディオニュソスは、ギリシア神話に登場する豊穣と「葡萄酒と酩酊」の神。オリンポス12神の一柱（12神に入らない場合もある）である。ディオニュソス誕生の主役は浮気者のゼウスと、嫉妬深い妻ヘラである。

●ゼウスは穀物の女神デーメーテールの娘ペルセポーネと交わり、息子ザグレウスをもうけるが、ヘラが知り、ゼウスの敵ティターン神族により捕らえられ、八つ裂きとなる。しかしザグレウスの心臓は女神アテナイにより救われ、ゼウスが呑み込んだ。次にそのゼウスがテバイの王女セメレーと交わり、ディオニュソスを身ごもった。ヘラは、セメレーを大変に憎み、ゼウスの光輝（稲妻）で焼死させてしまう。ゼウスはヘルメスに焼死体から胎児のディオニュソスを取り上げさせ、ゼウスの腿の中に埋め込み、臨月がくるまで匿い、ヘルメスに赤ん坊の成長を託した。「八つ裂き」や「稲妻」による死、そして2度の再生である。

●ディオニュソスの生涯は誕生・死と再生である。春、葡萄が芽吹き、誕生を意味する。そして花が咲き、秋に実がなる。葡萄の実を搾汁することは死を意味する。その鮮血がワインに再生し、人々を芳香と酔いで楽しませる、と見立てられ、ディオニュソスが敬われた。したがってワインを飲めば、何度も再生、不滅という話。死が身近にあった古代、都合の良い神

a ディオニュソス像

b ディオニュソスの秘儀の図

c 田舎のディオニュソスの図

d 海からのディオニュソスの図

図表7-7　ディオニュソス

様なのだ。これがワインとキリスト再生の神話に結び付いたのである。

●まだまだ嫉妬深いヘラは、追跡の手を緩めないのだ。ディオニュソスはギリシアやエジプト、シリアなど、長い間逃亡生活を送った。その間に葡萄栽培などの技術を身に付け、人々に伝え、民衆の支持を得た。一方、自分の神性を認めない人々を狂わせたり、殺したり、動物に変えたりするなどの力を示し、神として畏怖される存在になった。慈悲だけでは人々は従わないので、天罰・畏怖が必要と考えたのであろう。

●各地を遍歴したディオニュソスは、アテネの近くの村で農夫イーカリオスのもてなしを受けた。ディオニュソスは大変に喜び、お礼として葡萄の栽培と、ワインの製法を伝授した。イーカリオスは出来上がったワインを、村人たちに振る舞ったのである。初めて飲む酒に村人は興奮して、毒を盛られたと誤解してイーカリオスを殺害してしまった。その死を見た娘エーリゴネーは、悲嘆のあまり首を吊ってしまった。事の次第を知ったディオニュソスは怒り狂い、村の娘全員を狂気に陥らせ、集団縊死にしたのである。やがて誤解と知った村人たちの手で哀れな父と娘は供養され、ディオニュソスの怒りも収まり、同地は葡萄の産地として名を知られるようになったという話。ディオニュソスによる恵みと、それに従わないと神罰が下るという神話である。ともかく恐ろしい神様でもあるのだ。

❷ディオニユソス祭

ディオニュソスの信者集団が、図表７-７b「ディオニュソスの秘儀」と称するカルト的陰湿な凶行を行うことに困惑した僭主ペイシストラトスは秘儀を公開とし、ＢＣ５３４年にディオニュソス祭を開催したのである。

ペイシストラトスの企てが凄い。ディオニュソスを酒と歌舞演劇で籠絡しようという算段。この歌舞演劇が、ギリシア悲劇を生み、ローマ演劇となる。前記したように16世紀末、フィレンツェで古代ギリシアの演劇を復興しようという動きが始まり、これがオペラの起源となった。すなわちオペラは酒の神ディオニュソス由来なのだ。そしてその次がバレエである。

ディオニュソス祭は地方の祭りと、アテネ市の祭りとの二つから成り、年に何回か、各地で行われた。１度目は12月に村々で催される、ディオニュソスの死を象徴する図表７-７cに示す「田舎のディオニュソス」である。マイナス（狂女）の衣装を着た女性の踊りと、革製の巨大な男根を持った男の踊りで構成される。

２度目の祭りは、新酒を味わう季節の２月。海のほとりの神殿で行われ、ディオニュソスに扮した男優が、車輪を付けた小舟に乗って引かれてくる筋書き。図表７-７dに示す「海からのディオニュソス」のように、神が海からやってくる神話の再現である。この祭りの目玉は酒飲み競争。これでディオニュソスの信女を籠絡しようとしたのであろう。女性の飲酒は禁じられていた時代に、この日だけは解禁にした。それも有力者の恵与ということで、飲み代タダ。

恵与（エヴェルティズム）は古代ギリシア・ローマの時代、有力者が庶民に施しを与える考え方。劇場での観劇や戦車競走場・円形闘技場での観戦等も無料。信女も大酒を飲んで、日頃の憂さ晴らしをしたのであろう。賢い方策である。

3度目は3月にアテネで催された大ディオニュシュ祭。ディオニュソスの信徒が仮装して、歌舞演劇を披露するものである。この祭りが行われたのが、アテネのアクロポリスの麓に建てられた図表7-8に示すディオニュソス劇場。主要な催しは悲劇の上演であるが、BC487年以降は喜劇も演じられるようになった。ワインの神ディオニュソスに捧げる大ディオニュシュ祭は、悲劇の演劇が始まり。そうすると、神ディオニュソスは、人間が困り悲しむことを喜んだのだろうか？　人間の悲劇を見て喜ぶとは、随分困った神様である。

❸エレウシスの秘儀

アテネの北西約20㎞のエレウシスにおいて、穀物と豊穣の女神デーメーテールとペルセポーネ（ゼウスとデーメーテールの娘）崇拝のために伝承されていた祭儀。BC15世紀のミケーネ期から古代ローマまで約2000年間にわたって伝わり、古代ギリシアの密儀宗教としては最大の尊崇を集めた。主要な祭儀は毎年秋に催され、アテネの祝祭として取り込まれた後は、春のディオニュソス祭、夏のパンアテナイア祭と並んで「アテネの三大祭」といわれた。ペルセポーネが冥府の神ハーデースによって誘拐される物語に基づいている。冥府から地上に帰還するペルセポーネは、死と再生の神として、世代から世代へと受け継がれる永遠の生命を象徴している。入信者たちはこの密儀によって死後に幸福を得られると信じていた。儀式の中核部分は公開されず、秘密が厳格に守られたために現代に伝わっていない。

2 スパルタの祝祭

カルネイア祭とヒュアキンティア祭があり、牧畜と予言の神、音楽と詩歌文芸・医療の神アポローンを祭る。したがって合唱や舞踏は祭りで盛んに行われたようだ。アポローンは女神アテナイのように競争を好む神ではなかったので、アテネのパンアテナイア祭やディオニュソス祭に比較し質素であった。

カルネイア祭は「収穫を司る神」の祭りで、カルネウス月（8月）の7日から15日に行われた。農業的・軍事的祈願と、アポローンへの贖罪のために開催。この期間中は軍事的行動の全てが禁止され、そのためスパルタは、対ペルシアの「テルモピュライの戦い（BC４８０年8月）」に全軍出動させることができず、2人いる王のうち1人のレオニダス王とその親衛隊３００人しか出兵せず、全滅した。

3 劇　場

文化都市アテネにはアクロポリスに造られた神殿をはじめとして、数多くの劇場等が造られた。ＢＣ１６７年にローマ・アカイア属州に編入後も、文化的魅力に多くのローマ皇帝が訪れ、文化施設の建設に寄与した。５代皇帝ネロのオリンピック等の祭典への参加、ヘロディス・アッティコス音楽堂建設、１３２年に建設された皇帝ハドリアヌスの図書館等がある。帝政ローマの時代にも数多くの建築物が造られた。ディオニュソス劇場は、ＢＣ６世紀にアクロポリスの丘の南西斜面に木造の原形が造られ、ＢＣ３２５年に１万４０００人～１万７０００人収容可能な、**図表７−８**に示す石造り劇場が建設された。

Raymond G. Chase著『Ancient Hellenistic and Roman Amphitheaters, Stadiums, and Theatres: The Way Look Now』によれば、ギリシア／ローマ劇場の数は円形劇

図表7-8　アクロポリスのディオニュソス劇場

場がトルコ152・ギリシア79・イタリア86・フランス36・スペイン26・アルジェリア9・チュニジア19・リビア8・キプロス6・イスラエル／シリア地方28・中欧15・英国4・エジプト3カ所等とローマ世界にくまなく建設され、合計475カ所あった。ギリシアの演劇文化の凄さを示すものである。しかしギリシアはローマに支配され、ギリシア時代創建時の状況を示す劇場はほとんどない。

　ちなみにギリシア劇場は客席付きの常設であるが、それを受け継いだローマ劇場は、BC55年にローマに造られたポンペイウス劇場まで常設のものはなかった。その理由はアテネの人々が「劇場で客席に座り観劇をするのは、軟弱で没落を速めた」との理由で、ローマでは常設劇場は禁止されていた。しかし2世紀になると、「パンとサーカス」の時代となり、数多くの劇場が造られたのだ。心変わりしたのである。

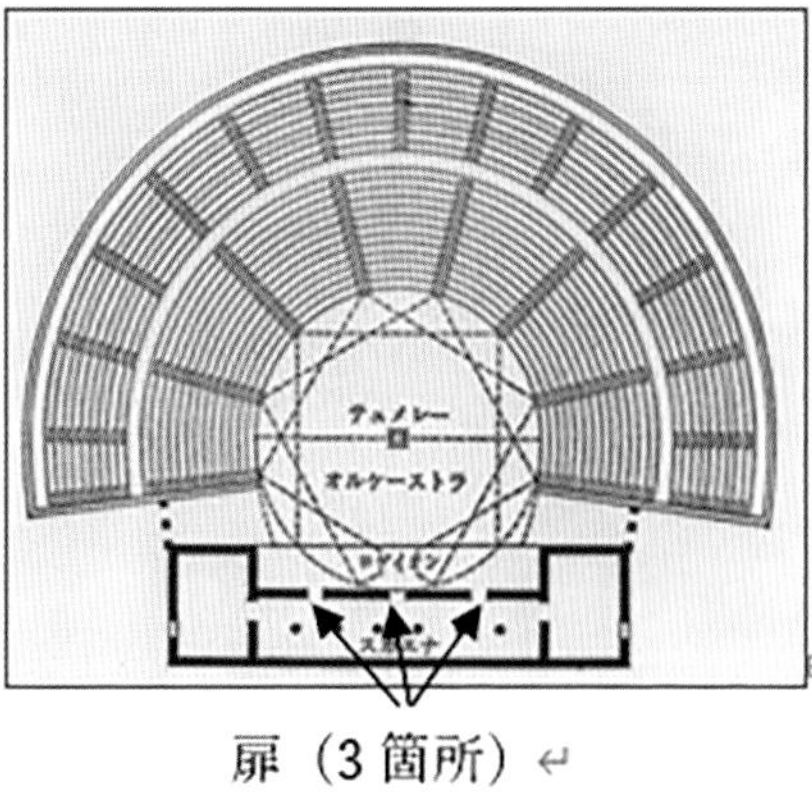

図表7-9　ギリシア劇場の配置等
（『建築書』第5書第18図）

●ギリシア劇場の特徴は図表7-9に示すように以下の特徴がある：

a　ポリスは山上の城郭都市であることが多いため、斜面をすり鉢状に削り劇場としたもので音響効果は良い。その効果を高めるため、斜面上の座席位置に複数の共鳴器の役割を果たす壺を設置している。ギリシアの音楽や音響については以下に示す。

b
劇場は、合唱団が歌う円形の平らな場所としてオルケストラが、観客席の前に設けられた。また役者が演じるステージ（舞台）と観客席が分離されている。

c
劇場では高位高官がオルケストラ近傍に席を占めたが、それ以外の席は身分によらなかった。

d
劇場には2層のステージ（舞台背景：スカエナ）がある。ステージには三つの扉がある。その役割について『建築書』に以下の規定が記されている。「中央には王宮の前庭にあるような扉が設けられ、左右には客用の扉がある。この場所にそれぞれ外見の異なった3つの装飾を持つ三角形の回転装置がある……。この装置は、筋の転換が行われる場合、あるいは突然の雷鳴を伴って神が出現する場合、回されて正面で装飾の様相を変える。この場所の隣にかぎの手（に壁）が突出し、その1つはフォルムから、他は市外からスカエナへの出入り口を作る。スカエナの種類は3つある。1は悲劇の、2は喜劇の、第3は風刺劇のスカエナと呼ばれるもの」と、細かく記している。

e
舞台の上に奥行きを与えるために、**背景に平面パネルを置いてその上に遠近法を利用した奥行きのある絵を描いている。数学・哲学者アナクサゴラス（BC500年頃〜BC428年頃）らは、透視図法に幾何学的理論を当てはめたという。**これも計算にのっとっているのである。

●シラクーサの劇場は、ＢＣ４８９年、カルタゴとのヒメラの戦いでの勝利を記念して、円形劇場を建設した。**図表７－10ａ**に示すように、舞台部分の構造物は基礎のみを残して消失している。収容人数１万５０００人、直径１３８ｍ、座席の列は67段。他のギリシア劇場同様に谷地形に建設され、海に向かって開けている。

●**図表７－10ｂ**に示すエフェソスの劇場は、アレクサンドロス大王の後継者となったリュシマコス（ＢＣ３６０年～ＢＣ２８１年）が建設した。その後、ローマ皇帝クラウディウス（治世41～54年）が拡大し直径１４２ｍ、２万５０００人収容となった。

●**図表７－10ｃ**に示すコリントスの劇場は、ＢＣ５世紀後半に建設された。固定座席と木製のステージがあり、ＢＣ１４６年共和政ローマの執政官ムンミウスにより征服・破壊された。この劇場には俳優の声が遠くまで届くように座席の間に壺で出来た共鳴器が配備されていた。『建築書』第５書第５章に「ムンミウスが青銅の壺を持ち帰った」と記している。劇場には上下３段に12～13個の共鳴器、下から１段目はハーモニー、２段目はクローマ、３段目はディアトノンを目的としている。これら３つはギリシアの音階である。音楽大好きな古代ギリシア人は音階についても理論を持っていた。具体的にはピタゴラス（ＢＣ５８２年～ＢＣ４９６年）は「音階の主要な音程に対応する数比を発見した」と言われている。

a　シラクーサの劇場

b　エフェソスの劇場

c　コリントスの劇場

図表7-10　現存のギリシア劇場

４ 古代ギリシアの演劇

演劇は元々、神々を喜ばせたり、死者の霊を慰めたりすることから生まれた歌舞である。ギリシアの演劇は、悲劇から始まり、酒神ディオニュソスへの熱狂的賛歌・物語であるディテュランボスから発展し、ディオニュソスの祭りで演じられた。どこの国でも歌舞演劇は神に捧げるものであり、神々を喜ばせることが発端である。ギリシアは、特に酒の神を喜ばせるために喜劇ではなく悲劇を捧げた。日本では、神様は人々が悲しむことより、喜ぶことを好むのではないだろうかと思うが、古代ギリシアでは違っていたのだ。

我が国の演劇は、天の岩戸や海彦山彦伝説からの歌舞・演劇の始まり、との説はあるが、明確ではない。京都の松尾大社、奈良の大神神社等に酒の神様がいるが、大々的に祭りを奉ってはいない。酒神が古代ギリシアやヨーロッパほど敬われてはいないのである。

❶ 悲劇

●ギリシア演劇（悲劇）の始まりは、BC６世紀の詩人テスピスが主人公を演じたものが最初、と伝えられている。この時代には、オリンピックを始めとした４大競技祭典は始まっていた。そしてBC５世紀に全盛を迎えた。この１００年間に１０００本以上の悲劇が書かれ、作家として『縛られたプロメテウス』や『アガメムノン』を書いたアイスキュロス（BC５２５

年〜ＢＣ４５６年）、『オイディプス王』を書いたソフォクレス（ＢＣ４９６年〜ＢＣ４０６年）。『ヘラクレス』や『トロイアの女』『タウリケのイピゲネイア』を書いたエウリピデス（ＢＣ４８０年〜ＢＣ４０６年）が有名である。図表7−11に示すエウリピデスの彫像では、悲劇用の仮面を持っている。ゲーテの『タウリス島のイフィゲーニエ』は、エウリピデスの作にヒントを得て書いた戯曲である。

●アリストテレス著『詩学』によれば、「ギリシア悲劇はディオニュソスに捧げるディテュランボス（酒神讃歌）のコロス（合唱隊）と、その音頭取りのやり取りが発展して成立した」ものだという。

●ギリシア悲劇は厳格な様式を持ち、登場人物の会話の場面と、舞踊合唱隊（コロス）の歌唱の場面が交互に展開する。様式とは俳優がテスピスの時は１人、アイスキュロスの時は２人、ソフォクレスの時は３人と、１場面に３人以上登場しないこと。俳優は男性で仮面を被り、高いブーツを履く。舞踊合唱隊は50人程度で、劇場のオルケストラと呼ばれる場所で歌い踊った。ともかく時代によって形式が決まっていた。この厳格な様式は、前記の劇場様式と同様で、ギリシア人の気質なのであろう。

図表7-11
エウリピデス彫像

●物語はほとんどが神話や伝説に題材をとり、人間の運命や個人の行動がもたらす不幸などを扱った。劇場での演目は、コンテストの審査によって選ばれた３人の詩人の作品であった。その３人は悲劇３部作と、神々や神話を笑い飛ばす下品なサテュロス劇を提出しなければならなかった。ちなみにサテュロス劇とは、ディオニュソスの従者サテュロスが登場する、合唱を伴う滑稽劇である。悲劇と滑稽劇の共演は面白いことである。戯曲的な公演がアテネの人々にとって重要だったことは、都市のディオニュソス祭にて悲劇の競技会が行われたことからも明らかである。祭りの悲劇のコンテストはＢＣ５０８年頃から制度化された。

●ペリクレスの時代、演劇の観劇者に手当が支給され、コンテストの優勝者は色々な名誉ある賞賛を受けた。プラトン著『饗宴』は悲劇のコンテストの優勝者・詩人アガトン祝賀饗宴での物語である。上記のように**演劇専門の劇場が建設され、観劇手当が出たり盛大なコンテストが行われたりすればギリシア演劇が隆興するわけである。従って祭典がなかったらギリシアの演劇、現代のオペラ・バレエは違った形になったかもしれない。**

2 喜劇

喜劇は、ＢＣ５世紀半ばに上演されるようになった。作家としては、アリストファネス（ＢＣ４４８年～ＢＣ３８０年）及び、メナンドロス（ＢＣ３４２年～ＢＣ２９２年）が有名である。アリストファネスらの喜劇は、政治批判、社会風刺を特徴として、古喜劇と呼ばれている。

一方、メナンドロスの喜劇は、人々の日常生活の愚かさが滑稽に描かれており、行方不明の子供たち、親子の関係、晩婚などが取り上げられていて、新喜劇と呼ばれている。これらの喜劇は現在のコメディと似ていて、登場人物は、けちな父親や意地悪な継母といった人物である。そして登場人物の数は、悲劇のような制限はなかった。古喜劇から新喜劇への転換は、マケドニアのアレクサンドロス大王、及び、その父のフィリッポス2世の時代に政治風刺を許さなくなったためと言われている。

第8編　古代ギリシアの浴場文化。古代ローマとの比較を含めて

古代ローマ、そして現代の浴場文化も古代ギリシアから引き継がれた。プラトンやアリストテレスの学園は、アテネの神域内のギュムナシウムで行われ、その中には教育のみならず運動・入浴設備があった。ギュムナシウムは基本的に市民＝戦士の養成施設。したがって戦闘技術にかかわる運動が行われ、その後のリフレッシュのために入浴施設があった。プラトンやアリストテレスの学園は運動主体ではなく、勉学主体で入浴も行われた。入浴によるリフレッシュが勉強や研究を促進したのかもしれない。それとともにアスクレピオスの神域で入浴治療が行われた。ここではギリシアの入浴と、それを受け継いだローマの入浴について以下の項目で紹介する。

- ●運動と入浴
- ●アスクレピオス聖域とヒポクラテス
- ●古代ローマの浴場文化

1 運動と入浴

ギリシアの共同浴場はBC5世紀頃に出現した。図表8－1に示すテッサロニキの腰掛け式のシャワーを沢山並べた部屋は、バラネイオンと呼ばれ、現在の底の浅い洋風バスの起源である。これに図表5－9に示すギュムナシウムと呼ばれる体育施設、講義室や図書館を備えた教育施設をプラスしたものが作られた。ここでの風呂はあくまでも、汗を流したり垢を取った

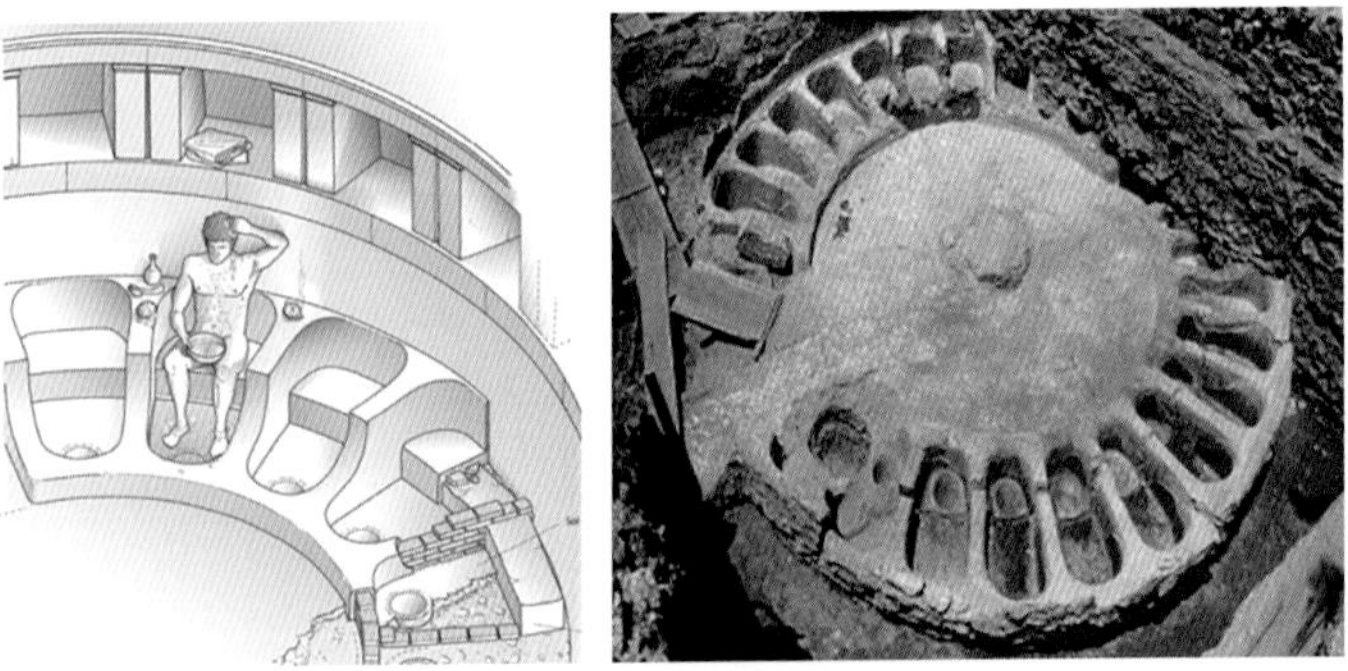

図表8-1　テッサロニキの25槽のヒップバス

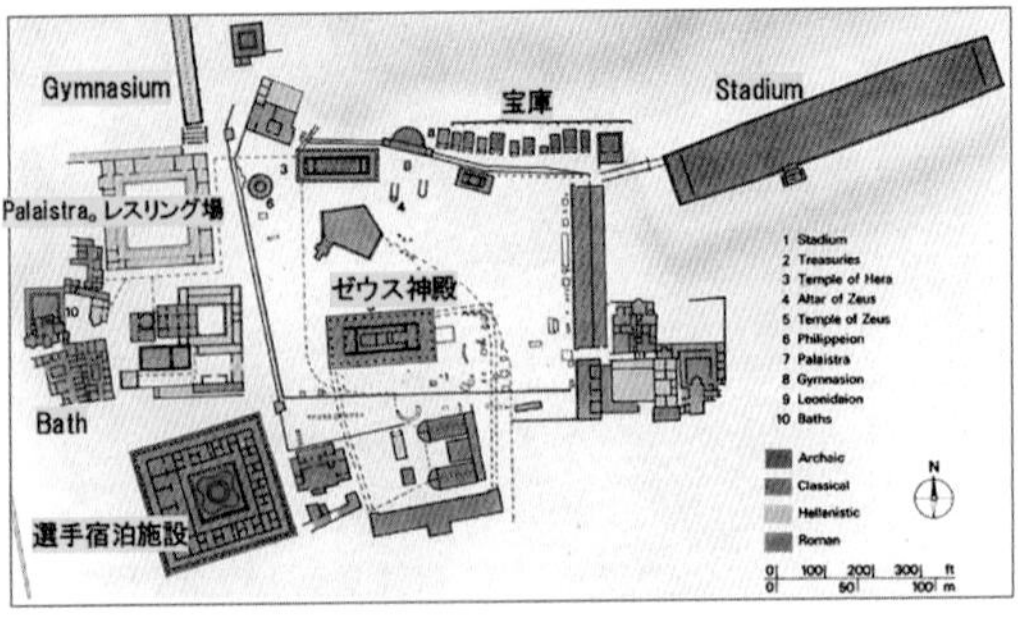

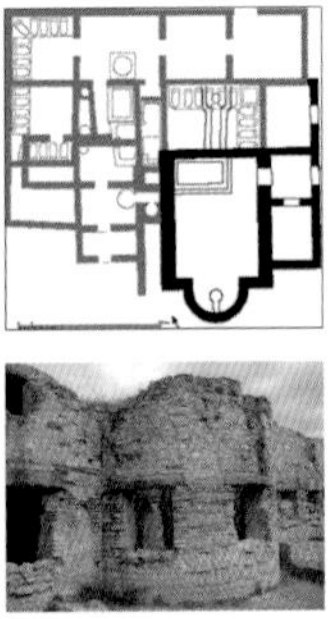

Bath部分

図表8-2　オリンピアの浴場

りするための、シャワー主体の実用本位のものである。

オリンピック発祥の地、オリンピアの図表8―2に示すギリシア浴場は、BC450年以前に建てられ、隣接地に20m×16m×水深1・6mのプールがある。当時、競技者はパフォーマンスを向上させるために、トレーニング中に体をオイルで擦り、細かい砂をかけていた。運動の後に体の掃除のため、肌かき器を使って体から油や砂をこすり落とした。その後、神経安静のためのマッサージを受け、最後に水浴で体と魂を浄めた。

2 アスクレピオス聖域とヒポクラテス

同じBC5世紀にアスクレピオス（ギリシア神話の医療の神）の神域で、温浴・水浴の医療効果を期待した各種のバスと音楽・ワインによる治療が行われた。この神域はエピダウロス・コス島・アテネ等にあった。

1 アスクレピオス

図表8―3に示すアスクレピオスを祀った聖域が、BC5世紀にペロポネソス半島東部のエピダウロスに初めて建てられた。BC350年頃以降、一般人の間にもアスクレピオス信仰が広まり、多くの巡礼者が聖域を訪れ、病の治癒を祈願したと言われる。巡礼者（嘆願者）は聖

域内の至聖所に宿泊し、翌日に祈願を行った後に、アスクレピアダイと呼ばれた神官医師団の治療を受けたり、温泉を訪れたりの治癒が処方された。アスクレピオスの持つ杖に巻き付く蛇がＷＨＯの紋章である。

2 ヒポクラテス

エーゲ海のコス島生まれの医師、「医聖」と言われるヒポクラテス（ＢＣ４６０年〜ＢＣ３７０年）は、ある種の病人や怪我人に温浴を、健常者には冷水浴を勧めた。入浴は基本的に健康法の一つであったが、過度の水浴は禁じた。コス島には温泉があり、温泉効果が言い伝えられていたのだろう。彼は、コス島のアスクレピオスの聖域で長年、医療に従事していた大病院長であった。ここでは入浴を大切な医療行為としていて、その関係を明らかにした。ヒポクラテス医学では、人間は血液、粘液、黄胆汁、黒胆汁の四体液を持ち、それらが調和していると健康であるが、どれかが過大・過小また遊離し孤立した場合に、病気になると考えていた。病人の体液の特徴に応じて、熱い浴槽（温・湿）、ぬるい浴槽（冷・湿）、熱い蒸し風

図表8-3
アスクレピオスとWHO紋章

呂（温・乾）、温度の低い蒸し風呂（冷・乾）等と、浴槽と浴室とを区分した温浴療法をした。さらにワインの種類による治療や、観劇による音楽療法も行っていた。ヒポクラテスは、これらの治療効果を体系的にまとめ、医聖と言われた。

アテネはペロポネソス戦争でペストの大惨事があり、ヒポクラテスは治療に当たり、功績をあげたのでＢＣ４２０年頃に彼を祭って、アクロポリスの南麓に聖域が建てられた。

図表８－４に示すコス島の聖域は、外形が１２０ｍ×60ｍ程度で、図のように３段に分かれていた。近辺にオデオン（小劇場）、島内に二つ円形劇場があった。下段は大階段、プロピュライア（聖域入り口の門）、列柱廊と患者のための部屋、ローマ時代の浴場として、冷浴室、温浴室、微温浴室、蒸し風呂、そして、床下暖房の公共浴場複合施設があった。中段はアスクレピオス神殿、アポロ神殿、神官の部屋があった。上段はアスクレピオスの大神殿、柱列廊があった。

図表8-4　コス島のアスクレピオス聖域

3 古代ローマの浴場文化

古代ローマの浴場文化も、ギリシアのギュムナシウムの真似から始まった。図表5－9に示す古代ローマ最大級の浴場・カラカラ浴場は、総合温泉レジャーセンターと言えるもので、入浴料金は25円相当と安く、1日楽しめた。360m×330mの広大な敷地に数多くの施設が建設され、浴場は長さ225m、幅185m、高さは38・5mもあった。一時に1600人、そして1日6000～8000人が利用できたという。浴場を中心に大きく分けると、浴場施設と運動ジム等・図書館・散策路等の施設の二つに分けられる。

エーゲ海・ギリシア文明の盛衰年表

年代（BC）	ギリシアの年表	文化
２０００年頃	●バルカン半島北部よりギリシアへ侵入・定住（第１波）。	●１９００年頃クノッソス古宮殿。
	●ミノス・クレタ文明。	●１６２８年?サントリーニ島大爆発。
１６００年頃	●ミケーネ文明の小王国分立。	●ビブロス・オベリスク神殿：１６００年〜１２００年頃。
１４００年頃	●ミケーネ文化最盛期。	
１２６０年頃	●ギリシア連合軍トロイを攻め、破壊。	●１３１６年、ウル・ブルン沖、大型交易船沈没。
１２００〜１１００年頃	●海の民侵入。各地の王城破壊。ドーリス人等侵入・定住（第２波）。	●１２２０年・１１９０年頃エジプト攻撃。
７５０〜５５０年頃	●ギリシア・小アジア（イオニア）にポリス建設。地中海・黒海に植民。	●７７６年、第１回オリンピック開催。 ●７５０年頃、ホメロス著『イリアス』。 ●７００年頃、ヘシオドス著『仕事と日』。
６８３年	●アテネの任期１年のアルコン（執政官／最高官）職制定。	●**５７０年〜５６０年：サモス島ヘラ神殿建設。**

550年 525年	●キュロス2世、メディア王国を滅ぼし、アケメネス朝建国。 ●カンビュセス2世、エジプト併合・古代オリエント世界統一。	●ピタゴラス：582年～496年。
505年 508年 499年 492年 490年	●スパルタ王によってペロポネソス同盟結成。 ●アテネ、クレイステネスによる民主政導入。 ●イオニアの反乱。ペルシア戦争勃発。 ●ペルシア第1次侵攻・「アトス岬沖遭難」「マラトンの戦い」。	●アイスキュロス：525年～456年（『ペルシア人』『テバイ攻めの七将』等）。 ●ソフォクレス：496年～406年（『オイディプス王』等）。 ●エウリピデス：480年頃～406年頃（『メデイア』『アンドロマケ』等）。
480年・479年	●ペルシア第2次侵攻・「サラミス海戦」「プラタイアの戦い」。	●医聖ヒポクラテス：460年頃～370年。 ●480年のペルシア戦争で破壊の**パルテノン神殿建設（447年～438年）**。 ●ヘロドトス（484年頃～425年頃）、『歴史』。 ●ペリクレス（495年?～429年）アテネ黄金期。435年：ペリクレスのオデオン完成。
478年	●デロス同盟成立。アテネ・ピレウス城壁完成（471年）。	
454年	●デロス同盟金庫アテネに移転。**アテネ覇権**。	
451年	●ペリクレス（444年～430年まで連続ストラテゴス・将軍職）提案によるアテネ市民権法成立。	

431～404年	●「ペロポネソス戦争」。	●哲学者ソクラテス（470年頃～399年）。 ●哲学者プラトン（427年頃～347年）。 ●哲学者アリストテレス（384年～322年）。
415～413年	●アテネのシケリア遠征・全滅。	
405～404年	●アテネ艦隊、ダーダネルス海峡・「アイゴスポタモイの戦い」でスパルタ艦隊に完敗・降伏。制海権失う。ピレウスの城壁破壊。**スパルタ覇権。**	
395～387年	●コリントス戦争（スパルタ対アテネ・テバイ・コリントス等連合軍。スパルタ敗退）。	
377年	●第2回アテネ海上同盟成立。	
371年	●「レウクトラの戦い（スパルタ対テバイ）」。テバイ勝利・**覇権**。	
362年	●「マンチィネイアの戦い（スパルタ・アテネ対テバイ）」でテバイ敗戦。テバイ衰退。	

338年	●「カイロネイアの戦い（マケドニア対アテネ・テバイ）」で、マケドニア・フィリッポス2世軍完勝。337年、マケドニアはコリントス同盟を結成し、スパルタを除く全ポリスが参加。**マケドニア覇権。**	
336年 333年	●マケドニア・フィリッポス2世暗殺／アレクサンドロス登位。 ●ダレイオス3世が「イッソスの戦い」でアレクサンドロス大王軍に敗戦。アケメネス朝ペルシア滅亡。	**●325年：アテネ・ディオニュソス劇場完成。**
334年	●アレクサンドロス大王東征（～323年）。	
305年	●プトレマイオス朝エジプト成立（～BC30年）。BC290年頃ムセイオン設立。	
168年	●ローマ、マケドニアを支配下に置く。	
146年	●ローマ、アカイア同盟（ペロポネソス半島北部沿岸連盟）を破りコリントスを破壊。	

おわりに

冒頭に掲げたように、本書の目的は以下の3項目である：

●ギリシアはなぜ超大国ペルシアに圧勝したのか？
●そしてなぜ短期間で衰退したのか？
●国として衰退しても、西欧文明として生き続けているのは、なぜなのか？

①大国ペルシア国王直卒の陸海軍の大兵力に対してなぜ、その25分の1に満たないギリシアが圧勝できたのか？

ギリシア連合軍の勝利は、挙国一致の抗戦と、指揮官テミストクレースの天才的戦略・戦術の賜物である。「日本海海戦」での「皇国の興廃、この一戦にあり」の意気込みと、参謀秋山真之の「敵前回頭に続く丁字《てい》戦法と七段構えの作戦」の案出と同じである。ペルシアに敗れれば、亡国・奴隷の運命と予想された。いくらギリシア海軍が優秀でも、半分の戦力である。海戦場所の地形、風・波・潮流を熟知し、ジャスト・イン・タイム戦術を考え出したのは、ピタゴラスから始まるギリシア人の数学・幾何学の能力である。１００余年後になるがアリストテレスは季節風まで記述している。したがって風・波・潮流の予測をして、自らの戦術に織り込み、「おいでおいで」作戦を立てたのである。数学・幾何学の重視による戦術立案が圧勝の要因である。

②BC480年の「サラミス海戦」の75年後、アテネはスパルタ海軍に敗れ無条件降伏、武装解除となったのは、なぜか?

アテネは直接民主主義であり、プラトンは「都市国家の市民の規模は5000人程度が良い」と記している。それがアテネは市民が4万人余りもあり、市民の数が多く衆愚化した。テミストクレースやペリクレスのような天才的政治家なら衆愚的な国でも治められるが、凡庸な政治家では、天下分け目の「マラトンの戦い」では戦勝したが、10人の将軍が並び立ち、「船頭」が多くなってしまった。それがシケリア遠征での全滅に繋がったのだ。BC406年の「アルギヌサイ海戦」では、敵スパルタ軍に比較して少ない損害にもかかわらず、シケリア全滅のトラウマか、戦勝将軍6人を弾劾裁判で死刑、2人逃亡となってしまった。その結果、次年の「アイゴスポタモイ海戦」では、指揮者（将軍）のいない「烏合の衆」となったアテネ艦隊180隻のうち171隻は、食糧調達のため上陸中に拿捕され、スパルタによる「一網打尽」で壊滅・無条件降伏となった。BC429年のペリクレスの死の時代から、BC405年の「アイゴスポタモイ海戦」までアテネの衆愚政治体制は大きな変化はなかった、のにかかわらず。そのような体制でもテミストクレース等の天才的指導者がいれば、国家を隆興に導けるが、衆愚政治家がはびこると「指導者なし」で衰亡の、想像もできない事象をアテネに及ぼしたのだ。これらの関係を次の図表に示す。

ペルシア戦争	ペロポネソス戦争		
サラミス海戦（BC480年）	シケリア遠征（BC415年～BC413年）	アルギヌサイ海戦（BC406年）	アイゴスポタモイ海戦（BC405年）
ペルシア海軍VSギリシア連合海軍	アテネ軍VSシラクーサ・スパルタ・コリント ス軍	アテネ海軍VSスパルタ海軍	アテネ海軍VSスパルタ海軍
●アテネ海軍：3段櫂船380隻（損害40隻以上） ●ペルシア海軍：684隻（損害200隻以上）。**アテネ軍圧勝。**	アテネ軍：3段櫂船207隻。陸戦兵士1万1000人。**アテネ軍全滅。**	●アテネ軍：3段櫂船150隻（損傷25隻） ●スパルタ軍120隻（損傷75隻）。**アテネ軍圧勝。**	アテネ軍：3段櫂船180隻（食料調達・**上陸中に171隻拿捕**）。

アテネ軍圧勝だが、主将テミクレートス収賄の疑いで裁判・死刑の恐れ。**ペルシアに亡命。**	企画者アルキビアデス、ヘルメス像首切断嫌疑で、帰国命令。死刑を恐れ、**スパルタに亡命。**	遭難者救助せずの理由で、アテネ弾劾裁判の結果、**全将軍8人中、6人死刑。2人逃亡。**	将軍がいなくて、烏合の衆。**スパルタに一網打尽。⬇食糧不足でBC404年アテネ無条件降伏。**

③国として衰退しても、西欧文明として生き続けているのは、なぜなのか？

芸術と競争好きの守護神アテナイのもと、今に続くシンメトリーにみられる様式美、ドーリス式・コリント式等の建築様式、そしてオペラ・バレエに繋がる歌舞演劇、ピタゴラス・ソクラテス・プラトン・アリストテレスに連なる数学・自然学的哲学がある。アテナイ人の尊崇する神は女神アテナイだけでなく、神ディオニュソスや、スパルタ人は神アポローン等を尊崇し、同様に他のポリスの市民も、神々を愛していた。神々に捧げられたオリンピック等の祭典では、鍛えられた裸体美にみられる「美」が尊重され、詩歌演劇が重んじられた。そしてピタゴラスが主張する「万物は数なり」との数学尊重の思想が、プラトンの学園に受け継がれたのだ。

「美」について言えば、BC6世紀のピタゴラスから、BC5世紀の「人体比例」を発見したポリュクレイトス、BC4世紀の数学を重んじたプラトン等の哲学者、BC1世紀のシンメトリーを発見・公表したウィトルーウィウス、そして人体構造図を描き評価した15・16世紀のレオナルド・ダ・ヴィンチとその流れが繋がっているのだ。その流れに東京丸の内に昭和初期に建造されたドーリス式等ギリシア様式の建物がある。

このプラトン等の学園は6世紀まで900余年存続したのである。現代から900年前と言えば、日本史で「保元の乱」の30年前、遥か昔である。そのくらい継続した研究・教育が行われた。「継続は力なり」が、ギリシア文明を現代に伝える力となったのであろう。その根幹には数学・幾何学のように不変の考え方があり、それが西欧文明の中で生き続けたのだ。

現在話題となっている「ChatGPT: Chat Generative Pre-trained Transformer」の概念は、プラトン・アリストテレス・ピタゴラスの考え方を纏めたものである。すなわち著作の大半は、対話形式を取ったプラトンの考え方が「Chat：対話」である。〝万學の祖〟と称されたアリストテレスの百科事典的知識を、コンピュータに記憶させることが「Pre-trained：事前訓練」であり、その莫大な知識≒データが「Generative：生成的」なものを創り出すことが出来るのである。ピタゴラスが主張する「あらゆる事象には数が内在していること、そして宇宙のすべては人間の主観ではなく数の法則に従うのであり、数字と計算によって解明できる」との考え方が「Transformer：変容≒コンピュータ化・創造」に繋がった。ピタゴラスは「シュムメトリアによる構造美も数字で表せる」と唱え、これがChatGPTで画像処理も出来る由縁である。当然のことながら近年のコンピュータの高性能化が寄与したわけであり、ChatGPTは無意識にプラトン・アリストテレス・ピタゴラス等の考え方を統合、利用しているのである。

したがってもしペルシア戦争に敗れ、オリンポスの神々に代わりペルシアの神々を押し付けられたら、全く別の文明・文化になったのではないだろうか。そういう意味で大国ペルシアに打ち勝ったことは、大きな意味を持つのである。

それと共に、スコーラ（閑暇）を重んじ、ディアロゴス（対話）やシンポジオン（シンポジューム：饗宴）を通して「知を愛する」という哲学の考え方を、後世に広めたアテネ人の思索の深さに驚嘆するのである。

参考文献

1 『水道が語る古代ローマ繁栄史』中川良隆、鹿島出版会、２００９年
2 『交路からみる古代ローマ繁栄史』中川良隆、鹿島出版会、２０１１年
3 『娯楽と癒しからみた古代ローマ繁栄史』中川良隆、鹿島出版会、２０１２年
4 『文明の源流を探る「ミイラ泥棒」と「ノアの箱舟」が創った古代文明』中川良隆、東京図書出版、２０２２年
5 『イリアス』ホメロス著、松平千秋訳、岩波書店、１９９２年
6 『歴史』ヘロドトス著、松平千秋訳、岩波書店、１９７２年
7 『戦史』トゥキュディデス著、久保正彰訳、中央公論新社、２０１３年
8 『プルターク英雄伝２』プルターク著、河野与一訳、岩波書店、１９５２年
9 『饗宴』プラトン著、久保勉訳、岩波書店、２００８年
10 『国家』プラトン著、藤沢令夫訳、岩波書店、１９７９年
11 『スパルタとアテネ』太田秀通、岩波書店、１９７０年
12 『プラトンの学園アカデメイア』廣川洋一、岩波書店、１９８０年
13 『哲学の原風景』荻野弘之、ＮＨＫ出版、１９９９年

14 『哲学の饗宴』荻野弘之、NHK出版、2003年
15 『アリストテレス全集5：気象論・宇宙論』アリストテレス著、泉治典他訳、岩波書店、1969年
16 『ギリシア・ローマ文化誌百科』ナイジェル・スパイヴィー他著、小林雅夫他訳、原書房、2007年
17 『ギリシア人の物語』塩野七生、新潮社、2015～2017年
18 『古代ギリシアの歴史』伊藤貞夫、講談社、2004年
19 『ギリシアを知る事典』周藤芳幸他、東京堂出版、2000年
20 『図説ギリシア』周藤芳幸、河出書房新社、1997年
21 『図説世界建築史：ギリシア建築』ロラン・マルタン著、伊藤重剛訳、本の友社、2000年
22 『ナポレオン言行録』オクターヴ・オブリ編、大塚幸男訳、岩波書店、1983年
23 『マキアヴェッリ語録』塩野七生、新潮社、1992年
24 『風土』和辻哲郎、岩波書店、1979年
25 『最新世界史図説タペストリー九訂版』帝国書院、2011年
26 『ウィトルーウィウス建築書』森田慶一訳注、東海大学出版会、1979年
27 『ギリシア神殿とペルシア宮殿』太田静六、角川書店、1994年
28 『ギリシア芸術模倣論』ヴィンケルマン著、田邊玲子訳、岩波書店、2022年
29 『ペリクレスと繁栄の時代　都市国家アテネ』ピエール・ブリュレ著、青柳正規監修、創元社、

1997年

30 『丘のうえの民主政』橋場弦、東京大学出版会、1997年

中川　良隆（なかがわ　よしたか）

昭和22年生まれ。
昭和44年　慶應義塾大学工学部機械工学科卒業
昭和46年　東京大学工学系大学院修士課程土木工学専攻修了
同　　年　大成建設入社（本社土木設計部）、明石海峡大橋３Ｐ下部工共同企業体所長、土木営業本部営業部長他
平成15年　東洋大学工学部環境建設学科教授就任
平成24年　東洋大学定年退職
同　　年　株式会社SPQR代表取締役
～現在に至る

【著作等】

『ゴールデンゲート物語』『水道が語る古代ローマ繁栄史』『交路からみる古代ローマ繁栄史』『娯楽と癒しからみた古代ローマ繁栄史』鹿島出版会。『建設マネジメント実務』山海堂他。『文明の源流を探る　「ミイラ泥棒」と「ノアの箱舟」が創った古代文明』東京図書出版

文明の源流を探るII

古代エーゲ海・ギリシア文明

2023年９月24日　初版第１刷発行

著　　者　中川良隆
発 行 者　中田典昭
発 行 所　東京図書出版
発行発売　株式会社 リフレ出版
〒112-0001　東京都文京区白山5-4-1-2F
電話 (03)6772-7906　FAX 0120-41-8080
印　　刷　株式会社 ブレイン

ISBN978-4-86641-666-3 C0022
Printed in Japan 2023